Gaelic Workbook 1

Progressive Gaelic Supplementary Exercises

Moray Watson

ISBN: 978-1-8380524-0-9

Follais
Books

DEDICATION

This book is dedicated to the memory of my friend Sandra Malley. Among many other talents, Sandra was a very gifted linguist, who managed to learn several languages, including French, German and Russian, long before turning her attention to Gaelic. It was only after she retired from her career as a psychologist that she made a serious effort at Gaelic. Having got to an intermediate level under her own steam, Sandra started taking classes at the University of Aberdeen. She quickly became committed to the classes and ended up distinguishing herself with an MA degree. Having graduated with First Class Honours, Sandra began working on a postgraduate dissertation and, ultimately, a PhD. For many years, Sandra was one of the shining lights of the Department of Gaelic at Aberdeen. Her conversation, kindness, down-to-earth good sense and sharp, irreverent wit are sorely missed.

CONTENTS

INTRODUCTION

The only way to make fast progress in language learning is to engage in the process fully. In order to engage and learn actively, you should pay close attention to detail whenever you have opportunities to do that. My advice at this level is to set aside at least 10-15 minutes at least once per day to work on 'attention to detail' and to spend the rest of your Gaelic-learning time with less arduous tasks. For instance, you could tackle two or three exercises from this book as your *active learning* and then go and listen to some audio for a further 20-30 minutes for your more *passive learning*. Of course, it is also possible to use audio actively. But, at the early stages, one of the easiest ways to engage in active learning is to tackle consolidation exercises like the ones in this book. When you are more advanced in your Gaelic, it can also be a very good idea to go back to more basic levels of the language and try exercises like these as a way to check and confirm your knowledge. As we progress with learning languages, we tend to internalise the rules and the vocabulary, which is exactly what we want. But, because we learned some of them when we didn't know very much Gaelic, we might have picked up some things slightly wrongly. Later on, we can check that our understanding of basic concepts was correct. Or, when we begin to doubt ourselves, we can go back and confirm that we do, indeed, know how the language works. Or, for people who have become semi-fluent by means of an immersion or drill-based programme, you are sure to have doubts and anxieties about your understanding: tackling basic structural exercises like the ones in this book will help you reassure yourself and iron out the problems caused by these methods.

If you are following *Progressive Gaelic 1*, you should aim to complete approximately two units of *Progressive Gaelic 1* per week. The day after you complete each unit, find the equivalent unit in this book and do some of the exercises. Leave a few of the exercises from the unit so that you can go back and do them the next week. You could follow a pattern something like this:

Monday	Tuesday	Wednesday	Thursday	Friday	Saturday
PG1 unit 1	Workbook unit 1 exercises 1-3	Listening and other Gaelic activities	PG1 unit 2	Workbook unit 2 exercises 1-3	Workbook unit 1 exercises 4-5 and other Gaelic activities

PG1 unit 3	Workbook unit 1 remaining exercises and unit 3 exercises 1-3	Listening and Workbook unit 2 exercises 4-5	PG1 unit 4	Workbook unit 3 exercises 4-5	Listening and other Gaelic activities and Workbook unit 4 exercises 1-3

You could create a work schedule for yourself based on this table or find a different schedule that suits you. You would also want to find time to practise speaking, and you need to do more than just a day or two of listening each week. In fact, you should be listening to Gaelic every day. Sometimes, you can listen passively, tuning in to Gaelic radio or TV even if you don't understand. Other times, you should use materials that are at a level where you can understand most of what you hear. And, of course, if you are not using *Progressive Gaelic 1*, you can simply fit these workbook exercises in around whatever schedule suits you. I would not generally advise spending a long time working on any one unit at any given time. Rather than working on a lot of exercises on the same point all at once, you should space out your consolidation of each point over a number of days – even over a week or more. It might also be a good idea to leave yourself an exercise or two from each unit that you can come back and try after a couple of weeks, to check that you still remember how to do a particular thing.

Although this book has been designed specifically to support your studies with the *Progressive Gaelic* course, there is no reason why you couldn't use it as an adjunct to any other course. In fact, you may well find the book especially useful if you are learning by means of some other course, because it will likely come at certain concepts from a slightly different angle from what you are used to. Very often, when learning a language, it is helpful to approach points in a variety of different ways. In any case, having access to a variety of resources is always worthwhile.

The book follows closely the structure of *Progressive Gaelic 1*. Ideally, you would familiarise yourself with the grammar and language points relevant to each unit first before attempting the exercises. Many of the exercises in the book do have brief reminders of some of the salient points, but it is unlikely you could learn any language feature exclusively from this workbook: it is unquestionably intended as a support resource and not as a stand-alone teaching manual. Then again, if you are learning on your own or with a teacher but not following any textbook course, you may find that the little reminders are enough to unlock problems you have been struggling with. Similarly, most units have additional vocabulary attached to them, which would complement the vocabulary you are learning elsewhere in your studies. All of the vocabulary used in the workbook appears in the glossary at the end of this book. The glossary also contains other vocabulary from *Progressive Gaelic*, to help you extend your learning beyond the workbook itself. For instance, you may wish to create your own extra exercises by using some of the other vocabulary and then asking a Gaelic teacher or fluent speaker to check your answers for you.

Never be afraid of the word *grammar*. Many people try to pretend that you can learn Gaelic without ever learning grammar. You can't. Gaelic without grammar is just words. If you want to learn just words, all you need is a dictionary. If you want to learn how to use and understand the language, you also need to understand how it is put together into phrases, sentences, expressions, etc. The word *grammar* is just a shorthand way of saying 'how it is put together into phrases, sentences, expressions, etc.' There are, of course, many ways that you can learn 'how it is put together'. By far the quickest and easiest way is to familiarise yourself with the grammar and then drill the points until they become internalised. In other words, learn the concepts, practise using them, then make them an everyday part of using the language. You could certainly learn 'how it is put together' without using the metalanguage of *nouns*, *verbs*, etc. But that would only help you learn Gaelic. If you learn Gaelic by the academic method pursued in *Progressive Gaelic*, you will also be well-equipped to go ahead and learn any other language you want to learn afterwards. Don't be afraid of *grammar*: make *grammar* your short-cut to the linguistic riches of the whole world, and Gaelic can be your passport.

This is the first in a series of workbooks designed to support the *Progressive Gaelic* textbooks. Join the community at www.progressivegaelic.com to be kept up to date with developments. The website has supplementary material to help you progress. You may also find the blog interesting or supportive for you as you make your way along the path to fluency.

1 YES AND NO

There is no Gaelic word for either 'yes' or 'no'. Instead, we answer questions by repeating the verb that was in the question. Since each verb in each tense has a positive and a negative form, the positive and negative can be used to give positive and negative responses.

Vocabulary
feasgar (m) - afternoon, evening
iris (f) - magazine
oifis (f) - office
sràid (f) - street
sgoil (f) - school
feòil (f) - meat
aimsir (f) - weather
obair (f) - work

Exercise 1

Answer the questions with the correct part of the verb. When the question is **an e…?** the answer must be either **'s e** or **chan e**.

1. An e càr a th' ann?

2. An e uinneag a th' ann?

3. An e sgoil a th' ann?

4. An e feòil a th' ann?

5. An e obair a th' ann?

6. An e madainn a th' ann?

Exercise 2

Answer the questions with the correct part of the verb. When the question is **a bheil...?** the answer must be either **tha** or **chan eil**.

1. A bheil i toilichte?

2. A bheil e trang?

3. A bheil iad sgìth

4. A bheil i ag obair?

5. A bheil e ag ithe

6. A bheil thu gu math?

Exercise 3

Supply the appropriate question form of either **tha** or **is** in order to complete these questions:

1. .... Seonag ag ithe an-dràsta?
2. .... thu trang an-diugh?
3. .... peann math a tha sin?
4. .... balach mòr a th' ann?
5. .... thu trang ag obair?
6. .... caileag sgìth a th' innte?
7. .... sràid mhòr a tha seo?
8. .... sgoil bheag a th' ann?
9. .... iad a' tighinn an-dràsta?
10. .... feòil mhath a th' ann?

Vocabulary
blàth - warm
luath - fast
sgòthach - cloudy
fada - long
cruaidh - hard

Exercise 4

When answering a question, you may sometimes decide to repeat the information from the question, by way of emphasising your agreement or disagreement. Consider the English:

Is it a nice jacket?
Yes, it is a nice jacket.
No, it is not a nice jacket.

Is it a hot day?
Yes, it's a hot day.
No, it's not a hot day.

In Gaelic, this means repeating the verb:
An e sgoil mhath a th' ann?
'S e, 's e sgoil mhath a th' ann.

Chan e, chan e sgoil mhath a th' ann.

Give this style of repetitive, emphatic answer to the following questions. Give <u>both</u> a 'yes' version <u>and</u> a 'no' version for each question:

1. An e latha sgòthach a th' ann?
    ....
    ....

2. A bheil an iris fada?
    ....
    ....

3. An e càr luath a tha sin?
    ....
    ....

4. A bheil an obair cruaidh?
    ....
    ....

5. A bheil an aimsir math an-diugh?
    ....
    ....

6. An e latha blàth a th' ann?
    ....
    ....

7. A bheil am bòrd mòr?
    ....
    ....

8. A bheil i sgìth ag obair a-nis?
    ....
    ....

9. A bheil Iain agus Calum ag ithe?
    ....
    ....

10. An e feasgar blàth ach sgòthach a th' ann?
    ....
    ....

Exercise 5

In this exercise, supply a question based on the information given and then answer your question with the appropriate form of the same verb.

3

Example:
Calum is busy working
Q. A bheil Calum trang ag obair?
A. Tha.

1. Màiri is happy.

Q. ....

A. ....

2. It is warm today.

Q. ....

A. ....

3. It is a big table.

Q. ....

A. ....

4. Calum is drinking.

Q. ....

A. ....

5. They are not long.

Q. ....

A. ....

6. It is a cloudy afternoon.

Q. ....

A. ....

7. She is busy right now.

Q. ....

A. ....

8. It is not fast.

Q. ....

A. ....

9. It is not a warm morning.

Q. ....

A. ....

10. It's a big house.

Q. ....

A. ....

Exercise 6

Answering negative questions is clearer in Gaelic than it is in English. In English, negative questions can lead to all sorts of communicative ambiguity; not so in Gaelic. Because you are answering with the positive or negative form of the verb that was in the question, your answer is effectively a positive or negative statement and tells the other person exactly what you intend. Negative questions are asked with the particle **nach** instead of **an**.

Examples:
Nach eil thu trang an-dràsta?
Aren't you busy just now?
Tha.
Yes [I am].

Nach e doras a th' ann?
Isn't it a door?
'S e.
Yes [it is].

Sometimes, to show the emphasis, some writers add a grave accent to the **tha** here: **thà**.

Nach eil thu ag ithe?
Aren't you eating?
Chan eil.
No [I'm not].

Give the appropriate answers to the following negative questions, either confirming or denying the suspicions of the person who asked the question:

1. Nach e càr a th' ann?

2. Nach eil Màiri ag ithe?

3. Nach eil e blàth an-diugh?

4. Nach eil i sgìth a-nis?

5. Nach eil iad luath?

6. Nach e iris a th' ann?

7. Nach e latha sgòthach a th' ann?

8. Nach eil Calum ag obair?

Exercise 7

From memory, write out these numbers as words:

1. 8
2. 10
3. 0
4. 3
5. 9
6. 4
7. 6
8. 2
9. 5
10. 1

2 DEFINITE AND INDEFINITE NOUNS

Nouns in Gaelic are considered 'definite' if they are accompanied by a possessive pronoun ('my', 'your', etc.) or by a definite article ('the'). Otherwise, they are indefinite. Unlike English, Gaelic has no article to mark indefinite nouns, so:

taigh = house
taigh = a house

doras = door
doras = a door

bòrd = table
bòrd = a table

leabhar = book
leabhar = a book

baga = bag
baga = a bag

peann = pen
peann = a pen

uinneag = window
uinneag = a window

Give the Gaelic for:
1. Book
2. A table
3. A window
4. Door
5. A bag
6. Table
7. Pen
8. Bag
9. A door
10. A book
11. Window
12. A pen

Use the structure *'s e ... a th' ann* ('it is a...') to state the following:
1. It is a table.
2. It is a book.
3. It is a window.
4. It is a pen.
5. It is a bag.
6. It is a door.
7. It is a house.

Use the structure ***Chan e ... a th' ann*** ('it is not a...') to state the following:
1. It is not a book.
2. It is not a table.
3. It is not a bag.
4. It is not a window.
5. It is not a pen.
6. It is not a house.
7. It is not a door.

Use the structure ***An e ... a th' ann?*** ('is it a...?') to ask the following:
1. Is it a book?

2. Is it a house?
3. Is it a window?
4. Is it a door?
5. Is it a pen?
6. Is it a bag?
7. Is it a table?

Exercise 5

Use the structure ***Thuirt Iain gur e ... a th' ann*** ('Iain said that it is a ...') to state:
1. Iain said that it is a book.
2. Iain said that it is a window.
3. Iain said that it is a door.
4. Iain said that it is a bag.
5. Iain said that it is a table.
6. Iain said that it is a house.
7. Iain said that it is a pen.

Exercise 6

Use the structure ***Thuirt Iain nach e ... a th' ann*** ('Iain said that it is not a...') to state:
1. Iain said that it is not a window.
2. Iain said that it is not a bag.
3. Iain said that it is not a table.
4. Iain said that it is not a house.
5. Iain said that it is not a pen.
6. Iain said that it is not a door.
7. Iain said that it is not a book.

Exercise 7

Fix the problems in the word order in the following sentences:
1. càr 's e a th' ann
2. an e a th' ann leabhar?
3. uinneag chan e a th' ann
4. a th' ann 's e bòrd

Exercise 8

Using the structure *chan e ... a th' ann; 's e ... a th' ann*, make the following contradictions:
1. It is not a book; it is a door.
2. It is not a pen; it is a window.
3. It is not a table; it is a bag.
4. It is not a table; it is a house.

Exercise 9

The question "What is this?" is ***Dè tha seo?*** in Gaelic.
Follow this example:
Dè tha seo? (What's this?)
'S e <u>iuchair</u> a th' ann. (It's a <u>key</u>.)

Answer the question in full sentences (without translating) in response to the following pictures:

1. Dè tha seo?

2. Dè tha seo?

3. Dè tha seo?

4. Dè tha seo?

5. Dè tha seo?

6. Dè tha seo?

7. Dè tha seo?

8. Dè tha seo?

Exercise 10

Answer the questions in the style of the example below, but without translating:
Dè thuirt Màiri? (What did Mary say?)

Thuirt Màiri gur e taigh a th' ann. (Mary said that it's a house.)

1. Dè thuirt Màiri?

2. Dè thuirt Màiri?

3. Dè thuirt Màiri?

4. Dè thuirt Màiri?

5. Dè thuirt Màiri?

6. Dè thuirt Màiri?

7. Dè thuirt Màiri?

8. Dè thuirt Màiri?

9. Dè thuirt Màiri?

Exercise 11

From memory, write out these numbers as words:

1. 5
2. 16
3. 20
4. 3
5. 18
6. 14
7. 13
8. 17
9. 9
10. 19

3 SPELLING RULE AND PRESENT TENSE

Exercise 1

Correct the spelling mistakes in the dialogue below, using your knowledge of the broad-to-broad and slender-to-slender rule:

SORCHEA:	Halò. Is mise Sorchea.
RUARIDH:	Latha math. Is mise Ruairaidh.
SORCHEA:	Ciamar a tha thu, a Ruairaidh?
RUARIDH:	Tha gu math, taipadh leat. Ciamar a tha thu fhèin?
SORCHEA:	Tha gu math. *Looking at her list.* Tha Iain trang.

Sorcha turns to the student on her right.

SORCHEA:	Hai. Is mise Sorchea. Seo Ruairaidh.
RUARIDH:	Thuirt Sorchea gu bheil Iain trang.
TOIRMOD:	Hai. Is mise Toirmod.
SORCHEA:	Halò, a Thoirmoid. Ciamear a tha thu?
TOIRMOD:	Tha gu math tapadh leat.
RUARIDH:	(*looking at his list*) Chan e bòrd mòr a th' ann.

TOIRMOD: (*to Sorcha*) Thuirt Ruaraidh nach e bòrd mòr a th' ann.

SORCHEA: Chan e.

TOIRMOD: (*looking at his list*) Tha an tidsar math.

SORCHEA: (*to Ruaraidh*) Thuirt Tormod gu bheil an tidsar math.

Exercise 2

Fill in the blanks in the following words, with the most likely vowel, based on your knowledge of the spelling rule and the patterns in the words you have already encountered. Remember that the broad vowels are **a**, **o** and **u**, and the slender vowels are **i** and **e**:

1. tàill____ar   (tailor)
2. dor____s   (door)
3. ceann__rd   (leader)
4. sgiob___   (team)
5. rud____n   (things)
6. leabh__r   (book)
7. tein____   (fire)
8. math__n   (bear)
9. cath____ir   (chair)
10. uinn____ag   (window)
11. pàip____ar   (paper)
12. sgrìobh_dh   (writing)
13. smaoineach____dh   (thinking)
14. tòis____achadh   (starting)
15. ceann__chd   (buying)
16. caill____ach   (old lady)
17. bod____ch   (old man)
18. coin____anach   (rabbit)
19. gill____   (boy)
20. son____   (happy)

Exercise 3

With reference to the spelling rule, which of the following are likely combinations in Gaelic:

1. -ille-
2. -anna-
3. -ighe-

4. -adhe-
5. -ighae-
6. -inno-
7. -achi-
8. -echa-
9. -ada-
10. -ora-
11. -oma-
12. -oila-
13. -anne-
14. -obi-
15. -ubha-
16. -illa-
17. -alla-
18. -uma-
19. -abha-
20. -atha-

Exercise 4

Insert an appropriate adjective from the following list to make a complete sentence or question in the present tense. Use each adjective only once:

math trang fosgailte dùinte mòr dona beag sgìth toilichte

1. Tha an doras……………………………………………
2. Chan eil an leabhar…………………………………..
3. A bheil an uinneag……………………………….?
4. Tha mi……………………………………… a-nis.
5. Tha a' chaileag………………………………
6. Chan eil am baga…………………………
7. A bheil am biadh…………………………?
8. Tha an t-aran…………………………a-nis.

Exercise 5

Insert an appropriate verbal noun to make a complete sentence or question in the present tense. Use each verbal noun only once:

1. A bheil Mairead.....................?
2. Tha mi..........................
3. Chan eil a' chaileag.........................
4. A bheil thu........................?
5. Chan eil Iain.......................
6. Tha i...............................

Exercise 6

Remember that the verb takes a specific form when it appears in reported speech. With the verb 'to be' in the present tense, the form is *gu bheil* if it has a positive meaning ('that it is') and *nach eil* when it has a negative meaning ('that it is not').

Vocabulary
sa = in the

Translate the following short sentences to English:

1. Tha mi ag obair sa mhadainn.
2. Tha Màiri agus Eilidh ag ithe biadh math.
3. Chan eil Tormod a' cadal ach tha e sgìth.
4. Thuirt Calum gu bheil am balach trang ag obair.
5. A bheil an taigh falamh?
6. Thuirt thu nach eil an t-aran math.

Exercise 7

Translate the following short sentences to Gaelic:

1. I am always busy.
2. Is the bread good?
3. They are not working.
4. The window is not open.
5. He said that he is tired.
6. The boy is not reading.

Exercise 8

The following sentences come from the dialogue. Re-write them in their other forms, to make a positive statement, a negative statement, a question and positive and negative reported speech versions. Example:

Statement: Tha mi à Leòdhas

Negative: Chan eil mi à Leòdhas

Question: A bheil mi à Leòdhas?

Positive Reported: Thuirt mi gu bheil mi à Leòdhas

Negative Reported: Thuirt mi nach eil mi à Leòdhas

1. Tha mi a' fuireach ann an Obar Dheathain a-nis
2. Tha an cnatan orm
3. Tha mi fhèin a' fuireach ann an Rosemount
4. Tha an tidsear math
5. Tha i glè mhath
6. Tha mi à Mayo

Exercise 9

From memory, write out these numbers as words
1. 22
2. 26
3. 18
4. 4
5. 21
6. 29
7. 30
8. 14
9. 28
10. 25

4 MASCULINE NOMINATIVE SINGULAR

Vocabulary

taigh (m) – house, a house
doras (m) – door, a door
bòrd (m) – table, a table
leabhar (m) – book, a book
baga (m) – bag, a bag
peann (m) – pen, a pen
cù (m) – dog, a dog

Exercise 1

Give the Gaelic for:
1. The book
2. The table
3. The bag
4. The pen
5. The door
6. The house
7. The dog

Vocabulary

oileanach (m) – student, a student
ceum (m) – degree, a degree
oilthigh (m) – university, a university

cat (m) – cat, a cat
aran (m) – bread
ìm (m) – butter
ceann (m) – head, a head
gàirdean (m) – arm, an arm
pàipear (m) – paper

Exercise 2

Give the Gaelic for:
1. The degree
2. The paper
3. The bread
4. The university
5. The arm
6. The student
7. The cat
8. The butter
9. The head

Exercise 3

Recalling that the Gaelic word for 'and' is 'agus', give the Gaelic for:
1. The pen and the paper
2. The dog and the cat
3. The student and the university
4. The university and the degree
5. The house and the door
6. The book and the bag
7. The bread and the butter
8. The arm and the head

Vocabulary
balach (m) – boy, a boy
fear (m) – man, a man
rathad (m) – road, a road
cuspair (m) – subject, a subject
bràthair (m) – brother, a brother
biadh (m) – food

Exercise 4

Give the English for:
1. Tha am balach trang.
2. Chan eil am fear ag obair.
3. Chuala mi gu bheil an doras fosgailte.
4. Chuala i nach eil am biadh math.
5. Thuirt iad gu bheil am baga làn.
6. A bheil an t-oilthigh mòr?
7. Thuirt i gu bheil an cuspair math.
8. Tha am bràthair sgìth.

Exercise 5

Put the appropriate definite article into these sentences.
Example: Tha ___ bòrd falamh = Tha am bòrd falamh
1. Tha ___ rathad trang.
2. Chan eil ___ cat toilichte.
3. Thuirt Màiri nach eil _____ aran math.
4. Chuala mi gu bheil ___ leabhar beag.
5. A bheil ___ taigh dùinte?
6. Chan eil ___ cù ag ithe ach tha e ag òl.
7. An tuirt Sìne gu bheil ___ rathad dùinte?
8. Tha ___ bòrd beag.

Remember that indefinite nouns have no article in Gaelic. So, 'a dog' is 'cù', which is exactly the same as the simple word 'dog'. When we make defining, emphasising or assertive statements, with these indefinite nouns, we use the structure *'s e ..... a th' ann*, as in:

'S e cù a th' ann = It is **a** dog

When we are using definite nouns, the structures are usually different. The example from Reading Text 6 is:

balach – boy, a boy

In sentences, we can see structures like this:
　　Tha balach an seo – a boy is here/there is a boy here

If we have a definite article (thus, '**the** boy'):
　　Tha am balach an seo – The boy is here

To define the noun:
　　'S e balach a th' ann – It is a boy/He is a boy

If we have a definite article, we are being more specific about the noun we are talking about:
　　Is esan am balach – He is the boy

We can extend this to defining nouns along with their adjectives:
　　'S e balach mòr a th' ann – He is a big boy
　　Is esan am balach mòr – He is the big boy

Exercise 6

Using this knowledge, give the English for the following:
　　1.　Tha càr an seo.
　　2.　Tha an càr falamh.
　　3.　'S e càr a th' ann.
　　4.　Is e seo an càr.
　　5.　'S e càr mòr a th' ann.
　　6.　'S e seo an càr mòr.
　　7.　Tha baga an seo.
　　8.　Tha am baga dùinte.
　　9.　'S e baga a th' ann.
　　10.　'S e baga beag a th' ann.
　　11.　'S e seo am baga.
　　12.　'S e seo am baga beag.

Vocabulary
dona – bad

Exercise 7

Recalling that the Gaelic for 'but' is 'ach', put the following into Gaelic:
1.   The open door but the closed house.
2.   The small boy but the big brother.
3.   The busy road but the good car.
4.   The good food but the bad water.
5.   The busy day but the tired man.

Exercise 8

Here are some masculine nouns that you have not yet encountered, including some that you will not come across in the course for some time yet. Even without knowing what they mean, you can still connect them with the correct definite articles:
1.   ___ boireannach
2.   ___ àm
3.   ___ feur
4.   ___ forc
5.   ___ post-d
6.   ___ mullach
7.   ___ dath
8.   ___ pasgan
9.   ___ balla
10.   ___ each

Exercise 9
The following sentences have been messed up when they were being copied down. Not only that, but the definite article has been missed out. Re-write them in the correct order, **adding the word for 'the' in** the appropriate place.
1.   obair balach ag tha trang

2. seo dona biadh eil chan
3. chuala cànan bheil mi math gu
4. bràthair aran agus ithe fear tha ag

Exercise 10

From memory, write out these numbers as words:

1. 44
2. 28
3. 32
4. 87
5. 12
6. 50
7. 71
8. 96
9. 18
10. 19
11. 20
12. 21
13. 35
14. 48
15. 52

.

5 FEMININE NOMINATIVE SINGULAR

Vocabulary
eaglais (f) – church, a church
sgeulachd (f) – story, a story
litir (f) – letter, a letter
freagairt (f) – answer, an answer
cèilidh (f) – ceilidh, visit, a ceilidh, a visit
seachdain (f) – week, a week
sgoil (f) – school, a school
ceist (f) – question, a question

Exercise 1

Give the Gaelic for:
1. The answer
2. The school
3. The visit
4. The week
5. The letter
6. The church
7. The story
8. The question

Vocabulary
obair (f) – job, a job
madainn (f) – morning, a morning

oidhche (f) – night, a night
uinneag (f) – window, a window
caileag (f) – girl, a girl
cathair (f) – chair, a chair
aimsir (f) – weather
leabaidh (f) – bed, a bed

Exercise 2

Give the Gaelic for:
1. The morning
2. The chair
3. The weather
4. The job
5. The bed
6. The night
7. The girl
8. The window

Exercise 3

Recalling that the Gaelic for 'and' is 'agus', give the Gaelic for:
1. The morning and the night
2. The window and the church
3. The bed and the chair
4. The question and the answer
5. The story and the letter
6. The girl and the visit
7. The week and the school

Vocabulary
iris (f) – magazine, a magazine
oifis (f) – office, an office
sràid (f) – street, a street
feòil (f) – meat
òraid (f) – lecture, a lecture

colaiste (f) – college, a college
trèan (f) – train, a train
sròn (f) – nose, a nose
sùil (f) – eye, an eye
cluas (f) – ear, an ear

Exercise 4

Give the English for:
1. Tha an iris math.
2. Chan eil an trèan an seo.
3. A bheil an oifis fosgailte?
4. Chan eil an òraid an sin.
5. Tha a' cholaiste dùinte.
6. A bheil an t-sròn mòr?
7. Tha an t-sùil dùinte.
8. Chan eil a' chluas beag.
9. Chan eil an fheòil math.
10. A bheil an t-sràid dùinte?

Exercise 5

Put the appropriate definite article into these sentences.
Example: Tha ___ oifis trang = Tha an oifis trang

1. A bheil ___ chaileag toilichte?

2. Chan eil ___ eaglais fosgailte.

3. Tha ___ leabaidh beag.

4. A bheil ___ iris math?

5. Chuala mi gu bheil ___ sgoil dùinte.

6. Thuirt Calum nach eil ___ cholaiste mòr.

7.   A bheil ____ sgoil math?

8.   Thuirt Iain gu bheil ____ sràid falamh.

Remember that indefinite nouns have no article in Gaelic. So, 'a week' is 'seachdain', which is exactly the same as the simple word 'week'. When we make defining, emphasising or assertive statements, with these indefinite nouns, we use the structure *'s e ..... a th' ann*, as in:

'S e seachdain a th' ann = It is <u>a</u> week

When we are using definite nouns, the possible structures are different. The example from Reading Text 7 is:

sgoil – school, a school

In sentences, we can see structures like this:
    Tha sgoil an seo – a school is here/there is a school here

If we have a definite article (thus, '**the** school'):
    Tha an sgoil an seo – The school is here

To define the noun:
    'S e sgoil a th' ann – It is a school

If we have a definite article, we are being more specific about the noun we are talking about:
    'S e seo an sgoil – This is the school

We can extend this to defining nouns along with their adjectives:
    'S e sgoil mhòr a th' ann – It is a big school
    'S e seo an sgoil mhòr – This is the big school

Exercise 6

Using this knowledge, give the English for:
1. Tha colaiste an seo.
2. Tha a' cholaiste beag.
3. 'S e colaiste a th' ann.
4. 'S e seo a' cholaiste.
5. 'S e colaiste bheag a th' ann.
6. 'S e seo a' cholaiste bheag.
7. Tha sùil an seo.
8. Tha an t-sùil dùinte.
9. 'S e sùil a th' ann.
10. 'S e sùil bheag a th' ann.
11. 'S e seo an t-sùil.
12. 'S e seo an t-sùil bheag.

Exercise 7

Recalling that the Gaelic for 'but' is 'ach', put the following into Gaelic:
1. The small window but the open eye.
2. The small girl but the big street.
3. The busy train but the closed window.
4. The good nose but the bad weather.
5. The busy office but the closed church.

Exercise 8

Here are some feminine nouns that you have not yet encountered, including some that you will not come across in the course for some time. Even without knowing what they mean, you can still connect them with the correct article. Because some of the nouns might need to be lenited, re-write the noun and its article in the blank space to the right of the noun:

1. long   ....
2. beatha   ....
3. crìoch   ....
4. abhainn ....
5. aiste   ....
6. iolair   ....

7. feòrag   ....
8. nobhail   ....
9. slighe   ....
10. pìob   ....

Exercise 9

The following sentences have been messed up when they were being copied down. Not only that, but the definite article has been missed out. Re-write them in the correct order, **adding the word for 'the' in** the appropriate place.

1. trang ag obair caileag tha
2. colaiste math chan eil
3. e thuirt iris gu bheil dona
4. dùinte sgoil gu bheil mi chuala.

6 PAST TENSE OF THE VERB 'TO BE'

The following sentences come from reading texts in earlier units of the textbook. They are all currently in the present tense. By changing the verb, turn them into past tense:
1. Tha am balach an seo.
2. Ach tha Gòrdan glè thrang ag obair.
3. Tha leabhar agus peann air a' bhòrd.
4. Chan eil mi toilichte.
5. Tha an tidsear math.
6. Càit a bheil thu ag obair?
7. A bheil thu ag obair ann an oifis mhòr?
8. Ciamar a tha an aimsir?
9. Tha an oifis air sràid mhòr.
10. Tha Gòrdan ag ithe aran agus ag òl uisge.

Give the Gaelic for:
1. I was coming home yesterday.
2. She was at home all day.
3. The food was good.
4. Was the door open all day yesterday?
5. Was the boy at home today?
6. Tormod said that he was tired yesterday afternoon. [remember the word order: afternoon yesterday]
7. I heard that Màiri was eating bread at home.

8. Was she wanting a magazine?
9. Where was the bag?
10. Were you eating food all day?

Exercise 3

The Reading Text in Unit 8 has the following example of how to express this verb with a predicative adjective:

Cha robh Calum sgìth
Cha robh mi sgìth
Cha robh thu sgìth
Cha robh e sgìth
Cha robh i sgìth
Cha robh sinn sgìth
Cha robh sibh sgìth
Cha robh iad sgìth

Following this example, use the adjective *trang* and say that Mòrag was not busy, etc.
1. Mòrag…trang
2. mi…trang
3. thu…trang
4. e…trang
5. i…trang
6. sinn…trang
7. sibh…trang
8. iad…trang

Exercise 4

Answer the following questions with a 'yes' or 'no', as marked:
1. An robh Sìne aig an taigh an-dè? – Yes
2. An robh thu toilichte feasgar an-dè? – No
3. An robh an iris fosgailte? – No
4. An robh an gille ag ithe? – Yes

Exercise 5

Vocabulary
brònach – sad
oir – because
ga chàradh – [here, means] to repair it
cuin a? – when?
a-mach - out

Read the following short passage and then answer the questions based on the passage:

Bha Seonag brònach an-dè oir cha robh an t-uisge ag obair aig an taigh. Cha robh i ag iarraidh fuireach aig an taigh fad an latha, ach bha duine a' tighinn ga chàradh, agus cha robh fhios aice cuin a bha e a' tighinn.

1. An robh Seonag toilichte an-dè?
2. An robh an t-uisge ag obair gu math?
3. An robh Seonag ag iarraidh a dhol a-mach?
4. An robh duine a' tighinn?
5. An robh fios aig Seonag cuin a bha an duine a' tighinn?

Exercise 6

Make questions, positive sentences and negative sentences in the past tense by combining the following names, pronouns, adjectives and verbal nouns. Example:

Anna	ag obair	an-dè	[Positive]

= Bha Anna ag obair an-dè

1.	mi	trang	feasgar	[Positive]
2.	Calum	ag ithe	biadh	[Question]
3.	Mairead	toilichte	an-diugh	[Negative]
4.	thu	ag òl	uisge	[Question]
5.	i	sgìth	an-dè	[Negative]
6.	Iain	ag ithe	aran	[Positive]
7.	sinn	a' tighinn	dhachaigh	[Negative]
8.	iad	ag obair	fad an latha	[Question]

Exercise 7

Supply the reported speech forms of the past tense of the verb 'to be' to the following sentences. A (+) shows where you should use the positive form (gun) and a (-) shows where you should use a negative form (nach).

1. Thuirt Calum (-) e ag obair fad an latha an-dè .
2. Thuirt Ceiteag (-) i brònach.
3. Chuala mi (+) am balach a' leughadh feasgar.
4. Chuala sinn (-) iad aig an taigh sa mhadainn.
5. An tuirt Ailig (+) an t-sràid dùinte?
6. An tuirt Seonaidh (-) Magaidh an seo?

Exercise 8

Being careful of the difference between present and past tense forms, translate the following sentences to English:

1. Bha an gille ag ithe aran an-diugh.
2. Chan eil a' chaileag sgìth ach tha i toilichte.
3. Thuirt Iain gun robh e ag òl uisge an-dè.

4. Chuala mi gu bheil e math.
5. Thuirt Mòrag nach eil i brònach.
6. Bha mi a' leughadh fad an latha.
7. Tha an rathad dùinte ach tha an sgoil fosgailte.
8. Cha robh Calum ag obair an-dè..

7 PLURALS, POSSESSION AND IMPERATIVES

Give the plural of the following nouns (some nouns have more than one possible plural, but you need only find one for each):
1. caileag
2. sràid
3. oidhche
4. cat
5. iris
6. oifis
7. balach
8. gille
9. bus
10. bòrd
11. uinneag
12. oileanach

Give the Gaelic for the following (some nouns have more than one possible plural, but you need only find one for each):
1. The rats
2. The pens
3. The languages

4. The windows
5. The boys
6. The boys (give a second possible word for this)
7. The girls
8. The magazines

Exercise 3

The following people each have the noun that is shown on the same line. Express this relationship in sentences. Example:
Tormod – cù = Tha cù aig Tormod

1. Màiri – cait
2. Eilidh – peann
3. Iain – iris
4. Seonag – oifis
5. Seonaidh – leabhar
6. Barabal – taigh
7. Tòmas – obair
8. Ceit - baga

Exercise 4

The following people do not have the nouns that are shown on the same line. Express this lack in sentences. Example:
Dùghall – oifis = Chan eil oifis aig Dùghall

1. Sìne – cù
2. Somhairle – bràthair
3. Oighrig – cathair
4. Eilidh – bòrd
5. Greum – aran
6. Teàrlach – uisge
7. Ciorstaidh – biadh
8. Eachann - coineanach

Exercise 5

Ask if the following people have the nouns shown on the same line. Example:
Ceitidh – iris = A bheil iris aig Ceitidh?

1. Seònaid – cat
2. Ruaraidh – gàrradh
3. Catrìona – peann
4. Eòghann – leabaidh
5. Dòmhnall – feòil
6. Beathag – còta
7. Magaidh – clann
8. Ailean - fòn

Exercise 6

Following the prompts, for positive (+), negative (-) and question (?), make either a positive statement (tha cat aig Iain), a negative statement (chan eil cat aig Iain), or ask a question (a bheil cat aig Iain?):
1. Sìle – piuthar (?)
2. Donnchadh – baga (+)
3. Ìomhar – pàipear (+)
4. Cairistìona – biadh (-)
5. Cailean – leabhar (+)
6. Dàibhidh – càr (?)
7. Ùna – caraid (?)
8. Alasdair – taigh (+)

Exercise 7

Give the Gaelic for the following:
1. I have a pen
2. You (sg.) have a pen
3. He has a pen

4. She has a pen
5. We have a pen
6. You (pl.) have a pen
7. They have a pen

Exercise 8

Fill in the gaps in the following sentences using the appropriate item from the words offered in each line. Example:
A bheil....................agad?   bha, oifis, an-dè

= A bheil <u>oifis</u> agad?

1. Chan eil.......................... aig Mairead.   peann, ag ithe, againn
2. A bheil.......................... aice?   a' tighinn, an-diugh, cat
3. A bheil..........................agaibh?   coineanach, gu, no
4. Thuirt Iain gu bheil..............aige.   trang, a' bruidhinn, cù
5. Tha.................agam.   robh, bòrd, agus
6. Chuala mi nach eil.................aig Tormod.   leabhar, toilichte, ag obair

Exercise 9

Give the Gaelic for the following:
1. I don't have a bed
2. You don't have an office
3. He doesn't have a house
4. She doesn't have a cat
5. We don't have a bag.
6. You [pl.] don't have a magazine
7. They don't have bread

Vocabulary

lifting; lift – a' togail; tog
sending; send – a' cur; cuir
opening; open – a' fosgladh; fosgail
eating; eat – ag ithe; ith
waiting; wait – a' fuireach; fuirich
walking; walk – a' coiseachd; coisich
home(wards) - dhachaigh

Exercise 10

Give the following commands:
1. Lift the book
2. Send the letter
3. Open the door
4. Eat the food
5. Wait here
6. Walk home
7. Read the magazine
8. Write the letter

Exercise 11

From memory, give the Gaelic for:
1. at me
2. at you
3. at him
4. at her
5. at us
6. at you [plural/polite]
7. at them.

8 MASCULINE DATIVE SINGULAR

The following prepositions are ones that take the dative:

a, à, aig, air, ann, bho, de, do, fo, gu*, le, mu, o, ri, ro, tro*

*In its radical form, *gu* is associated with the dative. When it becomes *gus*, it is also followed by the dative. However, when *gu* becomes *chun*, it then takes the genitive instead. Historically, *tro* took the genitive, but it has become associated with the dative

Recall the definite articles of all nouns (masculine and feminine) in the dative singular:

a'   bh, ch, gh, mh, ph
an   fh
an t- sa, se, si, so, su, sl, sn, sr
an   all other letters

Recall also that **adjectives are lenited** when they are part of noun phrases in the dative singular.

Vocabulary
blasta – tasty
grod – rotten
dorcha – dark

Exercise 1

Add the preposition to the following noun phrases, as shown in the example.
Example:

am balach beag [le] = leis a' bhalach bheag

1. An taigh mòr [ann]
2. An cù toilichte [ri]
3. An t-aran math [le]
4. An gàirdean beag [do]
5. An t-oilthigh ùr [bho]
6. An t-ìm blasta [mu]
7. Am biadh grod [tro]
8. An dath dorcha [le]
9. An t-each òg [air]
10. An leabhar fosgailte [à]

Exercise 2

Give the Gaelic for:
1. On the road
2. With the man
3. To the brother
4. In the food
5. About the cat [using *mu*]
6. At the house
7. From the boy [using *bho*]
8. At the student

Vocabulary
gasta – decent

Exercise 3

Put the appropriate form of the preposition into the following sentences:
1. Bha an cat a' coiseachd….taigh. [bho]
2. Tha Ruaraidh ag obair…. an oilthigh mhòr. [ann]
3. Bha Mairead a' bruidhinn…. a' bhalach sgìth. [ri]
4. Tha an leabhar a' tighinn…. a' bhaga. [à]
5. Tha am peann…. bhòrd. [fo]
6. Tha an cù beag…. an doras mhòr. [aig]
7. Chan eil an t-ìm…. an aran bhlasta. [air]
8. Chuala mi gun robh Màiri a' bruidhinn…. chuspair. [mu]
9. An robh a' chaileag a' dol…. ghàrradh? [tro]
10. Bha mi toilichte ag obair…. an fhear ghasta. [le]

Vocabulary
cidsin (m) - kitchen

Exercise 4

Complete these sentences by adding the preposition and noun that are supplied in brackets. Example:
Bha am balach ag ithe [ann][an cidsin]

= Bha am balach ag ithe anns a' chidsin

1. Chan eil Màiri ag obair [ann][an t-oilthigh].
2. An robh iad a' tighinn [bho][an taigh]?
3. Thuirt Iain gu bheil e a' dol [do][an sgoil].
4. Bha na caileagan an seo [ann][a' mhadainn].
5. Cha robh i a' fuireach [aig][an taigh].
6. Tha Seonag a' bruidhinn [ri][an tidsear].
7. A bheil thu a' sgrìobhadh [le][am peann] agam?
8. Chuala mi gu bheil i [à][an t-Eilean Sgiathanach].
9. Tha am fear [aig][an doras].
10. Bha am baga [fo][am bòrd].

Exercise 5

Put the following into the correct order to form proper Gaelic sentences:
1. leabhar aig bhrèagha a' beag tha bhoireannach.
2. cha ach pinn robh a' bhòrd an-diugh an-dè air, tha.
3. a' ghàrradh mi na chuala a' tighinn às balaich a-mach.
4. aran a bheil a' chidsin anns?
5. Donnchadh gun robh ag obair e a' bhùth anns thuirt.
6. mi bha aig an taigh ag obair an-diugh fad an latha.
7. an leabhar aig ach Eilidh tha bhòrd, fon bha e bhaga an-dè sa.
8. mi tha don a' dol leabaidh oir mi glè tha sgìth.
9. robh Ceit cha a' leis ghorm pheann a' sgrìobhadh.
10. an a' bruidhinn robh Calum a' ghille an-diugh ris?

Vocabulary

internet – eadar-lìon (m)
cups – cupannan (m)
cupboard – preas (m)
falling – a' tuiteam

Exercise 6

Give the Gaelic for:
1. The bread is in the big kitchen.
2. The red car is on the road.
3. A young woman is at the door.
4. Were the boys talking to the woman?
5. The words are not in the little book.
6. Norman said that he was going to the university.
7. Are they under the bag?
8. I heard her through the door.
9. We are buying pens on the internet.
10. The cups are falling from the cupboard.

Vocabulary

am pathadh (m) – thirst
tha am pathadh orm – I am thirsty
cofaidh (m) - coffee

Exercise 7

This passage is based on the reading text from *Progressive Gaelic 1*. Some of the nouns have been removed. Replace them using nouns from the following list, to create a passage that still makes sense. For most of the nouns, you will need to add the correct definite article ('the'), and make sure that you make any adjustments necessary to reflect the dative case.

sèithear, preas, seòmar, aran (x2), bùth, leabhar (x3), cofaidh (x2), cù

Bha Sorcha ag iarraidh _____.

Thuirt Mairead gun robh _____ air _____. Ach cha robh:

bha _____ anns _____.

Bha an t-acras air Calum. Bha e ag iarraidh _____. Cha robh _____ aige. An robh aran anns _____ ? Cha robh.

Bha am pathadh air Màiri. Bha i ag iarraidh cupa _____. Bha _____ aice anns an ___.

Bha boireannach ag obair leis _____ mhòr fad an latha. Bha i sgìth: bha i ag iarraidh suidhe air ___.

Vocabulary
box – bocsa (m)
wall – balla (m)

Exercise 8

Give the Gaelic for:
1. With the man
2. To the car
3. Out of [à] the kitchen
4. In the cup
5. About the internet

6. On the box
7. From the cupboard
8. To [ri] the woman
9. Through the wall
10. Before the afternoon

Vocabulary
iuchair (f) – key

Exercise 9

Translate to English:
1. Bha trì caileagan a' cluich anns an t-seòmar.
2. Tha Mòrag ag obair aig an taigh anns a' mhadainn, ach tha i a' dol don oilthigh san fheasgar.
3. Bha an iuchair air a' bhòrd an-dè, ach chan eil i an sin a-nis.
4. An robh thu anns a' ghàrradh?
5. Chan eil cupannan sa phreas: a bheil iad sa chidsin idir?
6. Chuala mi sin air an rèidio.
7. Thuirt Dòmhnall ris a' bhalach gun robh e a' dol dhachaigh.
8. Tha na faclan air a' bhalla.

Exercise 10

Match up the pronoun with its counterpart in the other language. Example:

air ———————▶ on

aig	of/off
fo	through
tro	before
mu	out of
do	at
ann	to [abstract: speaking, listening]
ri	about
ro	to [movement]
le	under
à	with
de	in.

9 FEMININE DATIVE SINGULAR

The following prepositions are ones that take the dative:

a, à, aig, air, ann, bho, de, do, fo, gu*, le, mu, o, ri, ro, tro*

*In its radical form, *gu* is associated with the dative. When it becomes *gus*, it is also followed by the dative. However, when *gu* becomes *chun*, it then takes the genitive instead. Historically, *tro* took the genitive, but it has become associated with the dative

Recall the definite articles of all nouns (masculine and feminine) in the dative singular:

a'   bh, ch, gh, mh, ph
an   fh
an t- sa, se, si, so, su, sl, sn, sr
an   all other letters

Recall also that adjectives are lenited when they are part of noun phrases in the dative singular.

In the dative singular, feminine nouns and adjectives attributed to them are also slenderised if this is possible (which involves adding an 'i' before the final consonant/group of consonants).

Vocabulary

cofhurtail – comfortable
grianach – sunny
farsaing – broad
blàth – warm
inntinneach – interesting
fileanta – fluent

Exercise 1

Add the preposition to the following noun phrases, as shown in the example.
Example:

a' chaileag bheag [aig] = aig a' chaileig bhig

1. an oifis mhòr [ann]
2. a' chathair chofhurtail [fo]
3. a' mhadainn ghrianach [ro]
4. an fheòil bhlasta [le]
5. an t-sràid fharsaing [bho]
6. an sgoil mhath [mu]
7. an leabaidh bhlàth [à]
8. an iris inntinneach [air]
9. a' Ghàidhlig fhileanta [ann]
10. a' chairt bhrèagha [de]

Exercise 2

Give the Gaelic for:
1. in the night
2. to the office
3. out of the church
4. about the letter
5. from the ceilidh
6. with the answer
7. through the window
8. on the bed
9. at the college
10. off the nose

Vocabulary

rudeigin – something

ag itealaich – flying

fuaim (f) – a sound

Exercise 3

Put the correct form of the adjective into the following sentences:
1. Bha an cù a' ruith bhon oifis.... [beag]
2. An robh Màiri ag obair anns a' mhadainn...? [fuar]
3. Tha mi a' leughadh rudeigin air a' chairt.... [brèagha]
4. Bha an t-eun ag itealaich tron uinneig... [fosgailte]
5. Chuala mi fuaim a' tighinn bhon eaglais.... [saor]
6. Chuala mi mun sgeulachd.... [math]
7. A bheil e ag obair air an t-sràid...? [àrd]
8. Cha robh mi a' cadal anns an leabaidh.... [cofhurtail]
9. Thuirt Mìchel gun robh e a' bruidhinn ris a' chaileig.... [mòr]
10. Tha an leabhar air a' chathair.... [buidhe]

Vocabulary

còmhdach (m) – cover

deòir – tears

feadag (f) – tin whistle

cabhag (f) – hurry, rush

Exercise 4

Complete these sentences by adding the preposition and noun that are supplied in brackets. Example:
Bha mi ag obair [tro][an t-seachdain]

= Bha mi ag obair tron t-seachdain

1. Bha Teàrlach a' bruidhinn [mu][an naidheachd]
2. Tha na nigheanan a' dèanamh lagh [ann][a' cholaiste]
3. Cha toil leam an còmhdach [air][an iris]
4. Bha Seonaidh a' ruith [à][an sgoil]
5. Tha deòir a' tighinn [do][an t-sùil]
6. Thuirt Ailean gu bheil e math [air][an fheadag]
7. Tha am peann [fo][an litir]
8. Bha mi a' ruith [le][a' chabhag]

Vocabulary

guirean (m) – spot, pimple
a' tomhadh – pointing
corrag (f) – finger
gainmheach (f) – sand
duilleag (f) – page
bàn – white, blank

Exercise 5

Put the following into the correct order to form Gaelic sentences:
1. bha a' tighinn bhig an às Mairead oifis.
2. thu bheil a don chèilidh a' dol aig mhòir deireadh na seachdain?
3. mi gu bheil leabaidh a' dol mi don thuirt.
4. na tha anns balaich an mhaith sgoil.
5. mi a' cluich chuala i an ùir fheadaig air.
6. anns eil chan nigheanan lagh mhòir a' dèanamh na a' cholaiste.
7. thuirt gu aige bheil guirean an air t-sròin Donnchadh.
8. a' chorraig a' tomhadh ris leis bha e fhada.
9. robh an a' coiseachd ghainmhich tron iad?
10. duilleig mi a' sgrìobhadh bhàin bha air an.

Vocabulary

sound – fuaim (f)
foot – cas (f)
brown – donn
shoe – bròg (f)
picture – dealbh (f)
something - rudeigin

Exercise 6

Give the Gaelic for:
1. The pen is in the little office.
2. The words were on the little letter.
3. The sound is in the ear.
4. Is the foot in the brown shoe?
5. The pictures were in the new magazine.
6. Mairead was in the big bed.
7. Is there something in the eye?

8.   Was he sitting on the chair?
9.   The cars were on the street.
10. They were coming out of the church.

Vocabulary
seinneadair (m) – singer

Exercise 7

In each of the following sentences, someone is *in* a place or else something is *in* a location, or something is being defined. Complete the sentences with the noun phrases supplied, making necessary adjustments for the dative case.
Example:

Bha…. ag obair anns… [Mairead][oifis ùr] = Bha Mairead ag obair anns an oifis ùir

1.   'S e… a tha anns an…. [am balach][leabaidh bheag]
2.   An robh… anns a'…? [Iain][a' cholaiste mhòr]
3.   'S e…a bha anns an…. [dealbh brèagha][iris ùr]
4.   Chan eil… ag obair anns an…. [am fear][an sgoil seo]
5.   A bheil…anns an…? [faclan][sgeulachd mhath]
6.   'S e… a tha anns a'…. [àite mòr][colaiste]
7.   Chan eil am… sin anns a'…. [facal][Gàidhlig]
8.   An e… math a tha anns a'…? [seinneadair][caileag bheag]

Exercise 8

Give the Gaelic for:
1.   Through the sand
2.   Before the letter
3.   On the card
4.   From the office
5.   Out of the nose
6.   Of the Gaelic
7.   About the week
8.   To [ri] the girl [using 'caileag']
9.   Under the eye
10. With the finger

Vocabulary
am poileas (m) – the police
slighe (f) – way, path

Exercise 9

Translate to English:
1. Bha mi ag obair air an iris bhig anns an oifis ùir.
2. Thuirt Sìne gun robh sin air an duilleig.
3. Tha mi a' smaoineachadh gu bheil an cat air a' chathair ghil.
4. Cha robh Iain anns an leabaidh fad an latha.
5. An robh Tormod trang anns a' mhadainn?
6. Chan eil na balaich ag obair tron latha fhada.
7. Dè tha a' tighinn às a' chluais bhig?
8. Bha Mòrag a' cluich fonn air an fheadaig bhuidhe.
9. A bheil thu a' tuigsinn sin bhon fhreagairt?
10. Tha am poileas air an t-slighe.

Exercise 10

Cuir Gàidhlig air:

1. Mairead's dog
2. Iain's picture
3. Tormod's foot
4. Sìne's tin whistle
5. Ailean's coffee
6. Coinneach's book
7. Cailean's pen
8. Mòrag's house
9. Seonag's school
10. Eachann's car.

10 THE PAST TENSE

The past tense of regular verbs is the same as the root/imperative. In the dependent form, the particle **do** is added, and this causes lenition of lenitable consonants. In the independent form, **do** no longer appears in modern Gaelic, but it has left the trace of its presence by also leniting lenitable consonants. Vowels are prefixed with **dh'** (with no space).

Vocabulary
Sealainn Nuadh – New Zealand
muir (m/f) – sea
dreasa (f) – dress
àlainn – lovely

Exercise 1

Turn the following into positive statements in the past tense, following the example.
Example: ith + mi mo bhiadh an-diugh sa mhadainn = dh'ith mi mo bhiadh an-diugh sa mhadainn

1. òl + Tormod am botal uisge-beatha air fad.
2. fuirich + Màiri ann an Glaschu airson dà bhliadhna.
3. bruidhinn + Ceitidh ris a' bhalach air an t-sràid.
4. sgrìobh + e litir gu a charaid an-dè.
5. cuir + mi an leabhar air a' bhòrd.
6. ceannaich + Marsaili ad nuair a bha i ann an Sealainn Nuadh.
7. danns + Calum agus Seonag aig a' chèilidh.

8. snàmh + iad anns a' mhuir.
9. peant + Domhnall dealbh brèagha an t-seachdain seo chaidh.
10. smaoinich + i gun robh an dreasa a' coimhead àlainn.

Vocabulary
an-uiridh – last year
a' bhòn-dè – the day before yesterday
tha am pathadh orm – I'm thirsty

Exercise 2

Turn the following into negative statements in the past tense, following the example.
Example: siubhail + Anna gu Canada an-uiridh = cha do shiubhail Anna gu Canada an-uiridh

1. èist + sinn ris an rèidio feasgar an-dè.
2. leugh + Mòrag an leabhar sin a' mhìos seo chaidh.
3. seinn + na caileagan na pìoban a' bhòn-dè.
4. reic + Donnchadh an càr aige fhathast.
5. sgioblaich + Oighrig an seòmar aice idir.
6. freagair + an tidsear a' cheist a chuir mi.
7. gabh + mi deoch ged a bha am pathadh orm.
8. cluich + a' chlann aig an sgoil.
9. tachair + mòran an t-seachdain seo.
10. ceannaich + Iain an iris oir cha robh airgead aige.

Vocabulary
leann (m) – beer
preas (m) – cupboard
Ìle – Islay
grèim bìdh (m) – a bite of food
deireadh na seachdain – the weekend
a dh'aona ghnothaich – on purpose

Exercise 3

Turn the following into questions in the past tense, following the example.
Example: bruidhinn + sibh ris an tidsear san sgoil = an do bhruidhinn sibh ris an tidsear san sgoil?

1. òl + Peadar an leann a bha anns a' chidsin.
2. sgrìobh + Teàrlach an leabhar math.
3. ith + thu an lite a bha anns a' phreas.
4. tog + iad dealbh leis a' chamara.
5. fuirich + sinn ann an Ìle nuair a bha mi òg.
6. coimhead + thu air an iris ùir fhathast.
7. siubhail + na balaich fada.
8. gabh + thu grèim bìdh anns a' chafaidh.
9. falbh + Eilidh dhachaigh aig deireadh na seachdain.
10. fliuch + Eanraig an còta a dh'aona ghnothaich.

Vocabulary

aiste (f) – essay
faighnich – ask (for information; not used to ask somebody to do something)
comhairle (f) – council
baile (m) – town
am-bliadhna – this year

Exercise 4

Turn the following into reported speech statements in the past tense, following the examples.
Examples:

Chuala mi [+ruith] Marsaili dhachaigh nuair a chaill i am bus [✔] = Chuala mi gun do ruith Marsaili dhachaigh nuair a chaill i am bus.

Chuala mi [+ruith] Marsaili dhachaigh nuair a chaill i am bus [✖] = Chuala mi nach do ruith Marsaili dhachaigh nuair a chaill i am bus.

1. Thuirt Seonag [+bruidhinn] i ri Mòrag an-dè [✔]
2. Chuala mi [+sgrìobh] Raibeart aiste san sgoil bhig [✖]
3. Tha Donnchadh ag ràdh [+gabh] e deoch feasgar Dihaoine [✖]
4. Thuirt thu [+leugh] thu an litir nuair a dh'fhaighnich mi [✔]
5. Thuirt Eachann [+òl] e uisge nuair a bha am pathadh air [✔]
6. Chuala Màiri [+tog] a' chomhairle taighean ùra sa bhaile am-bliadhna [✔]
7. Tha am fear ag ràdh [+falbh] am bus gus ochd sa mhadainn [✖]
8. Chuala mi [+seinn] an nighean fad an latha an-dè [✔]

9. Thuirt Anndra [+èist] e ris an rèidio [✖]
10. Thuirt Eilidh [+reic] i an càr fhathast [✖]

Vocabulary

Dùn Dèagh – Dundee [also written Dùn Dè]
gus – until
taigeis (f) – haggis
ged a – although
fosgail – open
fàg - leave
silidh (m) – jam
gu tric – often
nuair a - when
cuir teine – set/light a fire
mar-thà - already

Exercise 5

Translate to English:
1. Sgrìobh mi litir gu Dòmhnall, ach chuala mi nach do leugh e i.
2. Dh'fhuirich mi ann an Dùn Dèagh gus am-bliadhna, agus tha mi a' fuireach ann an Obar Dheathain a-nis.
3. Chuala mi nach do dh'ith Màrtainn an taigeis, ged a bha an t-acras air.
4. Bhruidhinn mi ri Calum an t-seachdain seo chaidh, ach cha do bhruidhinn mi ris an-diugh fhathast.
5. An do dh'fhosgail thu an doras anns a' mhadainn, no an do fhàg thu dùinte e?
6. Thuirt Barabal gun do dh'ith i an t-aran, ach nach do chuir i silidh air an aran idir.
7. Shnàmh mi gu tric nuair a bha mi òg, ach cha do shnàmh mi idir airson bliadhna no dhà.
8. Smaoinich mi gun robh thu trang, ach chan eil thu ag obair idir!
9. Thuirt Iain gun do chuir e an teine, ach tha e fuar fhathast.
10. Ghabh sinn biadh anns a' mhadainn, ach tha an t-acras orm a-rithist mar-thà.

Vocabulary

river – abhainn (f)
bags – bagaichean; bag = baga (m)
Stirling – Sruighlea

moor – mòinteach (f)
last week – an t-seachdain seo chaidh

Exercise 6

Give the Gaelic for:
1. I wrote a letter this morning. [literally: in the morning today/today in the morning]
2. We drank the water out of the river. [use *às* for 'out of']
3. You spoke to Norman yesterday.
4. Did they run home?
5. She didn't eat the bread yet.
6. You [plural/polite] bought three bags at the shop.
7. I think that Mary lived in Stirling when she was young. [literally: I am thinking]
8. I said that I painted the house last week.
9. George built a house on the moor.
10. He travelled all day but he isn't here yet.

Vocabulary
bòidheach – beautiful, pretty
comhairle (f) – council
ùpraid (f) – commotion, fuss, uproar
tuilleadh – anymore
Mary – Màiri
Norman – Tormod
George – Seòras/Deòrsa

Exercise 7

Turn the following present tense sentences into past tense sentences, using the verbs that appear in verbal noun form, rather than using *bha*, and also change any other verbs in the sentence to the past (*gu bheil* to *gun robh* etc.).
Example: tha mi ag ithe cèic = dh'ith mi cèic

1. Tha mi a' smaoineachadh gu bheil i bòidheach.
2. Tha na balaich a' ruith air a' mhòintich.
3. Tha Sìle a' sgrìobhadh don chomhairle mun ùpraid.
4. A bheil Eòghann a' falbh dhachaigh?
5. A bheil sibh a' ceannach bainne sa bhùth ùr?
6. Chan eil Greum a' bruidhinn ri Mìchel tuilleadh.
7. Thuirt thu gu bheil thu a' coimhead air an telebhisean.

8. Chuala mi nach eil thu a' reic bainne tuilleadh sa bhùth seo.
9. Tha iad a' fosgladh uinneagan anns a' bhaile.
10. Chan eil iad a' dùnadh uinneagan anns a' bhaile.

Exercise 8

Write a short passage in the past tense using the following words.

ag èirigh – èirich
Calum
seachd sa mhadainn
an-dè
a' cur aodach air – cuir (putting clothes on)
a' nighe – nigh (wash)
a' bruiseadh – bruis (brush)
fhiaclan – his teeth
a' gabhail – gabh
bracaist – breakfast
cidsin
beag
ag òl – òl
cofaidh
ag ithe – ith
tòst
le – with
ìm (m) – butter
silidh (m) – jam
a' fosgladh – fosgail
na litrichean
aig an doras
a' falbh – falbh
a-mach - out
a' call – caill (lose, miss)
am bus
mar sin – therefore
a' ruith – ruith
don cholaiste
cha robh
duine – person, a person, anyone

ann – in it, there
negative sentence with: a' tuigsinn – tuig (understand)
an toiseach – at first
ach an uairsin – but then
bha cuimhne aige – he remembered
's e Disathairne a bh' ann!

Exercise 9

Answer the following yes/no questions with the appropriate form of the past tense verb. Remember that the answer must always be the same verb that was in the question.
Examples:

an do leugh thu an litir? ✓ = leugh

an do leugh thu an litir? ✘ = cha do leugh

1. An do dh'ith thu a' chèic? ✓
2. An do ruith Seonag don sgoil? ✘
3. An do bhruidhinn an neach-poilitigs fhathast? ✓
4. An do cheannaich sinn uinneanan aig a' bhùth? ✓
5. An do dh'fhalbh thu aig ochd an-dè? ✘
6. An do fhreagair an tidsear a' cheist? ✘
7. An do dhùin iad am bùth aig deireadh na seachdain? ✓
8. An do thog thu dealbh nuair a bha thu a' coiseachd? ✘
9. An do shiubhail na nigheanan an t-seachdain seo chaidh? ✓
10. An do shnàmh sinn gu tric? ✘

11 EMPHATIC PRONOUNS AND PREPOSITIONAL PRONOUNS

The personal pronouns in Gaelic can all be made more emphatic, in situations where clarification is needed. This kind of clarification is usually expressed in English by the use of stress, either in the tone of voice or by using italics in writing. Consider the difference between:

I watched the programme on television.
I watched the programme on television.

In the second example, the person speaking is being assertive or is clarifying that it was he/she and not someone else who watched the programme. The same information is, nevertheless, given in both examples.

In Gaelic, emphatic pronouns are used for clarification like this. They are also almost always used whenever a pronoun appears with the copula or with the narration verb **ars** ('said'). All of the emphatic pronouns are based on the standard pronouns, with similar suffixes to the ones used to make nouns emphatic:

mi [becomes] mise

thu [becomes] thusa, tu [becomes] tusa

e [becomes] esan

i [becomes] ise

sinn [becomes] sinne

sibh [becomes] sibhse

iad [becomes] iadsan

mise = I, *me*

thusa/tusa = *you*

esan = *he, him*

ise = *she, her*

sinne = *we, us*

sibhse = *you*

iadsan = *they, them*

Exercise 1

Make contrastive sentences using the supplied verbs, and the emphatic forms of the pronouns given. Example:

Thog + e + taigh + ach + cha do thog + mi + taigh

= Thog esan taigh ach cha do thog mise taigh

1. Bha + i + san sgoil + ach + bha + e + aig an taigh
2. Sgrìobh + thu + litir + ged a + bha + iad + an seo
3. Is + sibh + a bhruidhinn + ach + is + mi + a dh'ith
4. Cha robh + thu + ag obair + ach + bha + sinn + gu math trang
5. Tha + mi + toilichte + ach + tha + i + brònach
6. An + iad + a leugh + an leabhar + no + an + tu + a leugh + an leabhar?

Vocabulary

coire (m) = kettle

Exercise 2

Complete the following sentences by adding the appropriate emphatic version of the underlined pronoun:
1. Bha Niall aig an taigh fad na h-oidhche, ach cha chuala <u>e</u> an fhuaim.
2. An <u>tu</u> a sgrìobh an litir mun bhalach?
3. Cò tha siud? Siud? O, is <u>e</u> an tidsear agam.
4. Chan eil Alasdair idir nas àirde na <u>mi</u>.
5. Tha mi an dòchas nach eil <u>iad</u> a' tighinn a-rithist!
6. "Cuir air an coire," ars <u>i</u>.
7. Sgrìobh na fir litrichean thugainn, ach cha do leugh <u>sinn</u> iad.
8. Is <u>mi</u> an t-òraidiche ùr.
9. Tha <u>iad</u> nas àirde na <u>sibh</u>.
10. Chan <u>e</u> as lugha san sgoil air fad.

Exercise 3

From memory, write out the paradigm of **aig**. The first one is given.
1. agam
2.
3.
4.
5.
6.
7.

Vocabulary

the names = na h-ainmean

Exercise 4

Using the prepositional pronouns based on **air**, give the Gaelic for the following. Example:
Her name is Maggie =

'S e Magaidh an t-ainm a tha oirre.

1. My name is Donnie. [Donaidh]
2. His name is Gordon.
3. Her name is Mary.
4. Our names are John and Duncan.
5. Their names are Norman and Neil.
6. Your name is Rebecca. [Beathag]

Vocabulary
a' mothachadh = noticing
obair-dhachaigh (f) = homework
a' dèanamh lethbhreac = copying

Exercise 5

Using both the emphatic pronouns and the paradigm of **faisg air**, complete the following sentences. The underlined pronouns would be better in their emphatic forms, and the small English part of each sentence has to be changed to Gaelic.
1. Cha robh <u>mi</u> ag obair [near her] san leabharlann, ach bha Niall.
2. An <u>tu</u> a rinn a' chèic a dh'ith <u>i</u> aig àm bìdh an-dè?
3. Shuidh Dùghall [near you] air a' bhus. Ach cha do mhothaich <u>thu</u>.
4. Rinn <u>mi</u> an obair-dhachaigh, agus bha <u>e</u> [near me]: is dòcha gun d' rinn e lethbhreac den obair a rinn <u>mi</u>.
5. Bha na nigheanan [near them] fad an latha.
6. Bha <u>sinn</u> ag obair [near him] a-raoir.

Vocabulary
na leanas = the following
ged a = although
ceart gu leòr = ok, fine
a' tòiseachadh = starting
a' cur ceist air = asking someone a question

Exercise 6

Cuir Beurla air na leanas.

If certain words are stressed, underline these to show emphasis in your English:

1. Bha mise ag obair san oifis an-dè sa mhadainn, ach cha robh esan.
2. Cha do bhruidhinn ise ris an tidsear, ged a bha i faisg air fad an latha.
3. Thuirt Mìchel gun d' rinn e an obair, ach chan fhaca mise i.
4. Tha an cnatan orm a-nis, ach tha sibhse ceart gu leòr.
5. Thòisich Anna a' dràibheadh sìos an t-sràid, ach bha iadsan a' coiseachd air an rathad.
6. An do dh'òl sibhse an t-uisge-beatha seo fhathast?
7. Cha do fhreagair an tidsear nuair a chuir mise ceist air, ach fhreagair e thusa.
8. A bheil e fìor gun robh sinne faisg oirre fad an latha?
9. Bha Calum ag obair faisg orm ach cha do mhothaich mi.
10. An e Seonag an t-ainm a th' oirre?

Vocabulary
chocolate = teòclaid (f)
plate = truinnsear (m)
living room = seòmar-suidhe (m)

Exercise 7

Cuir Gàidhlig air na leanas. If a pronoun is underlined, use the emphatic form.
1. She ran home, but he didn't. [remember that you must repeat the verb where English uses 'didn't']
2. We spoke to the woman last night, but she was busy.
3. The cat is near the window and the dog is near you.
4. Maggie made a cake and put chocolate on it. ['cèic' is feminine, so 'on it' is 'on *her*']
5. Did you sit near her on the bus?
6. I saw that you put the table in the kitchen and that there is a plate on it.
7. I spoke to the boys yesterday and they said that they have a cold. [a cold is on them]
8. Did John open the letter that was in the living room or was it you who opened it? [use the copula for the second part of the question; remember that 'litir' is feminine, so the 'it' should be feminine, too]

65

Exercise 8

Give the Gaelic for the following:
1. at him
2. on it [masc.]
3. near them
4. at us
5. near you [pl.]
6. at me
7. on them
8. on me
9. near her
10. at her
11. near us
12. on you

Vocabulary
I am thirsty – tha am pathadh orm
I am hungry – tha an t-acras orm
I am angry – tha fearg orm
I have a cold – tha an cnatan orm
I am a student - 's e oileanach a th' annam

Exercise 9

Cuir Gàidhlig air:
1. He is angry
2. She has a cold
3. He is a student
4. I have a book
5. We are hungry
6. She is a student
7. You have a cold
8. You [pl.] have cars
9. They are students
10. You are thirsty

12 FUTURE TENSE OF THE VERB 'TO BE'

Independent: bidh / bithidh
Dependent: bi
Relative: bhios / bhitheas

Exercise 1

Choose the correct form of the verb to fill in the gaps in these sentences:
1. Am .... thu aig a' chèilidh sa bhaile an t-seachdain seo?
2. Cha .... na balaich san sgoil a-màireach oir tha an cnatan orra.
3. .... Mairead ag obair san oifis fad an latha.
4. Thuirt Iain gum .... e trang an-diugh.
5. Cuin a .... sinn a' dol dhachaigh?
6. Càit am .... iad feasgar a-màireach?
7. Tha mi an dòchas nach .... Mòrag ro thrang.
8. .... Raonaid an seo a-rithist sa mhadainn.
9. Cò .... a' siubhal air a' Ghàidhealtachd sna làithean-saora?
10. 'S e Tormod a .... air a' bhus, tha mi a' smaoineachadh.

Exercise 2

Score out the incorrect forms of the verb to leave the correct form in place.
1. Bidh/bhios/bi sinn anns an taigh-seinnse Oidhche Haoine.
2. Am bidh/bhios/bi thu fhèin ann cuideachd?
3. Cha bidh/bhios/bhi, oir bidh/bhios/bi mi ro thrang: tha cus agam ri dhèanamh.

4. Cò bidh/bhios/bi ann mar sin?
5. Chan eil fhios agam ach tha fhios agam nach bidh/bhios/bi Anna ann.
6. Bidh/bhios/bi ise ag obair anns an leabharlann Oidhche Haoine: dh'innis i dhomh.
7. Cuin a bidh/bhios/bi i deiseil?
8. Thuirt i nach bidh/bhios/bi i deiseil gus deich.
9. Tha sin fadalach: bidh/bhios/bi i glè sgìth.
10. Tha mi a' smaoineachadh gum bidh/bhios/bi mise sgìth cuideachd.

Exercise 3

Depending on whether the line begins with a question mark, a tick or a cross, put the following into sentences and questions using the future tense of the verb 'to be'. A double tick will require you to write a reported speech sentence and a double cross a negative reported speech sentence. Example:
✓✓ - ag ithe – iad – thuirt – Mìchel – cèic = thuirt Mìchel gum bi iad ag ithe cèic

1. ? – a-màireach – ag obair – aig a' chladach - e
2. ✓ - air an rathad – trang – na càraichean - Diluain
3. ✗ - Catrìona – ag òl – san taigh-seinnse – uisge-beatha
4. ✓ - na balaich – a' suidhe – san sgoil – air a' bhòrd
5. ✓✓ - mi – chuala – Iain – a' cluich – aig a' chèilidh
6. ? – aig an taigh – Greum – Disathairne
7. ✗✗ - chuala – i – ag obair – gu cruaidh – fad an latha - Mairead
8. ✗ - toilichte – nuair a bhios – deiseil – am biadh uile - thu
9. ? – a' coiseachd – air an tràigh – Sìle – Diardaoin
10. ✓ - leabhar – tu – a' leughadh – nuair a bhios – aig an taigh - tu

Vocabulary
mòinteach (f) - moor

Exercise 4

Rewrite the following present tense sentences in the future tense, using the future of the verb 'to be'. Example:
Tha Iain ag obair anns a' ghàrradh an-diugh -= Bidh Iain ag obair anns a' ghàrradh an-diugh.

1. Chan eil Ceit a' sgrìobhadh litir aig a' bhòrd.
2. A bheil thu ag ithe cèic a-rithist?
3. Tha mi sgìth an dèidh a bhith aig a' chèilidh.
4. Thuirt Tormod gu bheil e trang san oifis.
5. A bheil Anna a' bruidhinn ris a' bhoireannach eile?
6. Chuala mi nach eil sibh a' siubhal air a' bhàta.
7. Tha iad glè thoilichte oir tha iad a' dol don taigh-seinnse.
8. Chan eil Màiri a' sealltainn air an telebhisean.
9. Cò tha a' togail taigh air a' mhòintich?
10. Càit a bheil Calum a' dol?

Vocabulary

rugbaidh (m) – rugby
pàirc (f) – park
duais (f) - prize

Exercise 5

Rewrite the following past tense sentences in the future tense, using the future of the verb 'to be'.
Example:
Bha Ruaraidh glè sgìth nuair a bha e a' tighinn dhachaigh = Bidh Ruaraidh glè sgìth nuair a bhios e a' tighinn dhachaigh.

1. Bha na balaich a' cluich rugbaidh sa phàirc Disathairne.
2. Bha Pòl ag iarraidh faicinn cò bha a' dràibheadh a' bhus.
3. An robh Eachann aig a' cholaiste Diluain?
4. Càit an robh na caileagan nuair a bha thusa aig an taigh?
5. Thuirt Anndra gun robh e toilichte leis an duais.
6. Cha robh sibhse trang sa mhadainn.
7. Thuirt iad gun robh iad air a' bhàta.
8. Bha Dòmhnall ag ràdh nach robh e sgìth.
9. An robh sinn a' bruidhinn ris an duine?
10. Cha robh na leabhraichean anns an leabharlann.

Vocabulary
dèanamh a dhìcheall – doing his best

Answer the questions in these dialogues with the appropriate form of the relevant verb:
1. A bheil thu ag obair sa cholaiste a-nis?
   YES
2. An do sgrìobh thu an leabhar seo?
   NO
3. Am bi thu a' siubhal don Spàinn air a' mhìos seo?
   NO
4. An do rinn thu cèic an-dè?
   YES
5. Am bi Mairead aig an taigh nuair a bhios mise san sgoil?
   YES
6. An e sin an duine a rinn a dhìcheall?
   YES

Cuir Gàidhlig air na leanas:
1. They will be here next week.
2. When will she be writing a letter?
3. Where will they be keeping cheese?
4. Who will be eating food today?
5. He won't be on the road tomorrow.
6. She said that she will be busy.
7. I heard that you will be listening.
8. I will be drinking all day.
9. I think that it will be late.
10. Will we be going home now?

Vocabulary
prògram (m) – programme
deoch (f) – drink

rùm (m) – room
ciallach – sensible/making sense
an-ath-bhliadhna – next year

Exercise 8

The verb 'to be' is in the **wrong** form in each of the following sentences. Correct it to the appropriate part of the future tense:
1. Cò *bi* a' snàmh anns an abhainn a-màireach?
2. Am *bith* thu a' gabhail deoch san taigh-seinnse Dihaoine?
3. *Bi* mi a' coimhead air a' phrògram sin air an telebhisean.
4. Cha *bhidh* esan a' falbh fhathast.
5. Nuair a *bidh* sin a' tachairt, *bhios* e math.
6. Am *bidh* Màiri a' peantadh an taigh?
7. Cuin a *bidh* sibh a' sgioblachadh an rùm?
8. Cha *bhios* na caileagan a' danns aig a' chèilidh.
9. *Bith* mi a' freagairt ma *bhi* a' cheist ciallach.
10. Càit a *bhios* sibh a' fuireach an-ath-bhliadhna?

Exercise 9

From memory, write out the days of the week:

1. Di…
2. Di…
3. Di…
4. Di…
5. Di…
6. Di…
7. Latha…
   or: Di…

Exercise 10

Using *do*, translate to Gaelic:
1. To him
2. To us
3. To me
4. To you [pl.]
5. To her

13 NEGATIVE QUESTIONS

Negative questions use the same form of the verb as standard 'yes/no' questions. The interrogative particle is *nach* instead of a version of *an*.

Examples:

An e… a th' ann? – is it a…?
Nach e… a th' ann? – isn't it a…?

A bheil thu…? – are you…?
Nach eil thu…? – aren't you…?

An robh thu…? – were you…?
Nach robh thu…? – weren't you…?

Am bi sinn…? – will we (be)…?
Nach bi sinn…? – won't we (be)…?

An do dh'òl e…? – did he drink…?
Nach do dh'òl e…? – didn't he drink…?

Exercise 1

Change the following positive questions to negative questions:

1.   An do sgrìobh thu an litir fhathast?
2.   Am bi thu aig an taigh a-màireach?
3.   An e cù mòr a th' ann?
4.   A bheil na nigheanan trang aig an sgoil?

73

5. An do cheannaich sinn aran sa bhùth?
6. An do ghabh Seonag deoch san taigh-seinnse a-raoir?
7. An robh i toilichte leis an duais?
8. An do dh'ith Donnchadh a' chèic?

Exercise 2

Answer the following negative questions as indicated by the information provided.
Examples:
Tha Iain aig an taigh-seinnse.
Nach eil Iain aig an taigh-seinnse?
Tha.

Tha Iain aig an taigh-seinnse.
Nach e Iain a tha aig an taigh-seinnse?
'S e.

1. Dh'obraich Màrtainn faisg air a' chladach.
   Nach do dh'obraich Màrtainn faisg air a' chladach?

2. Bha sinn a' coimhead air an telebhisean.
   Nach robh sinn a' coimhead air an telebhisean?

3. Cha do dh'ith mi an t-aran.
   Nach do dh'ith mi an t-aran?

4. Tha Tormod ag òl uisge.
   Nach eil Tormod ag òl cofaidh?

5. Cha robh iad trang an-dè.
   Nach robh iad trang an-dè?

6. Sgrìobh Cailean litir sa mhadainn.
   Nach do sgrìobh Cailean litir sa mhadainn?

7. Chuir sinn an teine.
   Nach do chuir sinn an teine?

8. Cha do sgioblaich thu an rùm fhathast.
   Nach do sgioblaich thu an rùm fhathast?

9. Fhreagair mi a' cheist.
   Nach do fhreagair mi a' cheist?

10. Chan e seo an leabhar ceart.
    Nach e seo an leabhar ceart?

Exercise 3

From memory, write out the paradigm of *bho*. The third one is done for you:

1.
2.
3. bhuaithe
4.
5.
6.
7.

14 MORE ON VERBS

This chapter gives you a chance to practise some of the things you have already learnt about verbs.

Identify the root (or imperative) and verbal noun (verb-noun/gerund).
Example:

ithe, ith

ag… ; ….!

= ag ithe; ith!

1. ceannaich, ceannachd

    a'………………... ; …………………….!

2. tachairt, tachair

    a'………………... ; …………………….. !

3. tog, togail

    a'………………... ; …………………… !

4. suidh, suidhe

    a'………………... ; ………………….. !

5. èisteachd, èist

   ag .... ; .... !

6. freagair, freagairt

   a'..................... ; .... !

7. dràibh, dràibheadh

   a'..................... ; .... !

8. gabh, gabhail

   a'..................... ; .... !

9. leughadh, leugh

   a'..................... ; .... !

10. sgioblaich, sgioblachadh

    a'..................... ; .... !

Exercise 2

Is or *tha*. Without translating these sentences to Gaelic, mark whether they would most likely be expressed in Gaelic using the substantive [write *tha*] or the copula [write *is*].
Example:

Mary is slim. [tha]

Mary is my sister. [is]

1. The church is over there.
2. It is rainy today.
3. He is the biggest.
4. This is the cat.
5. That dog is very big.
6. We are very happy now.
7. George is the minister.
8. Canada is my favourite country.
9. I'm too busy!
10. They are not the students.

Vocabulary
a' faighneachd, faighnich – asking, ask [for information]

Exercise 3

Fill in the gaps in the conjugated verbs below.
Example:

an do sgrìobh?	sgrìobh
cha do sgrìobh	
gun do sgrìobh	
nach do sgrìobh	

1.

an do dh'òl?	dh'òl
gun do dh'òl	

2.

	cheannaich
cha do cheannaich	

3.

gun do fhreagair	

4.

	dh'fhaighnich

Exercise 4

Answer the questions with <u>both</u> a YES and a NO.
Example:

An do dh'ith thu a' chèic?

Dh'ith; cha do dh'ith

1. An do fhreagair i a' cheist?

2. Am bi thu ag obair Disathairne an t-seachdain seo?

3. An do sgrìobh thu an litir sin?

4. An e Calum a tha a' dràibheadh an-diugh?

5. A bheil thu trang an-dràsta?

6. Nach do dh'fhosgail sinn an doras mar-thà?

7. An d' rinn thu biadh?

8. An cuala Niall an ceòl a-raoir?

9. Nach fhaca tu an telebhisean sa mhadainn an-diugh?

10. An robh sibh sgìth an dèidh na cèilidh Oidhche Haoine?

Exercise 5

Without looking at Unit 16 of *Progressive Gaelic 1*, fill in the blanks in the reading text according to the prompts:

[I spoke] ri Calum aig a' cholaiste an-dè. [He said] [that he wrote] aiste airson Gearmailtis, ach [he wasn't] toilichte leatha. [He was] a' smaoineachadh [that he made] mearachdan innte. Ach, [I heard] [that Anna didn't write] aiste idir: [that is] dona, [isn't it]! [I stayed] aig a' cholaiste airson biadh. [There is] taigh-bìdh math ann. [I ate] gu leòr, ach [I didn't drink] càil, oir [there aren't] deochannan math aca, agus [I don't like] uisge. [I picked up] na leabhraichean agam, agus [I went away] dhan bhùth-leabhraichean san t-Sràid Mhòir. [I bought] faclair ùr, ach [I didn't buy] pinn, oir [there are] gu leòr pinn agam. [I read] an leabhar ùr air a' bhus, nuair a [I was] a' tighinn dhachaigh.

Exercise 6

Complete the paradigm of *le*. Try to do it without checking the table in your textbook:

1. leam
2.
3. leis
4.
5. leinn
6.
7. leotha

Exercise 7

Fill in the blanks according to the prompts in this adapted version of the reading text:

[I listened] ri Calum aig a' cholaiste an-dè. [I heard] [that Anna read] aiste airson Gearmailtis, agus [she was] toilichte leatha. [Calum wasn't] a' smaoineachadh [that there were] mearachdan innte. Ach, [I thought] [that Anna wrote] an aiste i fhèin: [that isn't] dona, [is it]! [I was] aig a' cholaiste airson biadh. [There is] taigh-bìdh math ann. [I drank] gu leòr, ach [I didn't eat] càil, oir [there are] deochannan math aca, agus [Anna had*] uisge. [I bought] na leabhraichean sa bhùth-leabhraichean san t-Sràid Mhòir. [I was wanting] faclair ùr agus pinn, ach [there weren't] pinn ann. [I opened] an leabhar ùr air a' bhus, ach [I didn't read] e.

*use *gabh* for 'take' in this context

Vocabulary
back [direction; backwards] – air ais

Exercise 8

Cuir Gàidhlig air na leanas:
1. Don't buy that book.
2. Open the window.
3. Pick up the cat.
4. Don't close the door.
5. Eat the cake.
6. Read the letter.
7. Drink water.
8. Listen to Iain.
9. Play football.
10. Swim back.

Vocabulary
'Peter', like all names, can be left untranslated if you prefer; however, Gaelic equivalents do exist: *Pàdraig* (which is also 'Patrick') and *Peadar*

untidy – mì-sgiobalta
again – a-rithist

Exercise 9

Cuir Gàidhlig air na leanas:
1. I didn't open the door but it was open anyway.
2. Mary said that she was busy all day yesterday.
3. Did you run home?
4. We swam on Tuesday, but not on Wednesday. [use the structure "but did not swim" here; there is also another way of expressing this, which will come up later in the course]
5. I think that you sat on the chair.
6. The teacher didn't answer the question.

7. Peter tidied the house yesterday, but it is untidy again now.
8. We heard that they didn't sell the car.
9. Did she sing yet?
10. The boys travelled by boat. [it is best to treat this as "on the boat"]

Exercise 10

From memory, write out these numbers as words:
1. 201
2. 343
3. 500
4. 289
5. 760
6. 912
7. 855
8. 421
9. 508
10. 999

Exercise 11

Cuir Gàidhlig air:
1. with me
2. with you
3. with him
4. with her
5. with us
6. with you [pl.]
7. with them.

15 THE FUTURE TENSE

The future tense of regular verbs is based on the root. The independent form is the root plus the ending –aidh/-idh; the dependent form is the root (with lenition, where appropriate); the relative form is the root lenited, with the ending -eas/-as. Note that vowels have the prefix **dh'**, which is analogous with lenition. Note also that words beginning with **f** behave according to the second letter of the word:

A' fantainn; fan
Fanaidh mi an seo
An fhan thu an seo? / Am fan thu an seo?
Cò dh'fhanas an seo?

A' freagairt; freagair
Freagraidh mi a' cheist
An fhreagair thu a' cheist? / Am freagair thu a' cheist?
Cò fhreagras a' cheist?

Exercise 1

Turn the following into positive statements in the future tense, following the example.
Example: ith + mi + mo bhiadh feasgar an-diugh = ithidh mi mo bhiadh feasgar an-diugh

1. òl + Tormod am botal uisge-beatha air fad.
2. fuirich + Màiri ann an Glaschu airson dà bhliadhna.
3. bruidhinn + Ceitidh ris a' bhalach air an t-sràid.

4. sgrìobh + e litir gu a charaid a-màireach.
5. cuir + mi an leabhar air a' bhòrd.
6. ceannaich + Marsaili ad nuair a bhios i ann an Sealainn Nuadh.
7. danns + Calum agus Seonag aig a' chèilidh.
8. snàmh + iad anns a' mhuir.
9. peant + Dòmhnall dealbh brèagha an-ath-sheachdain.
10. smaoinich + i gum bi an dreasa a' coimhead àlainn.

Vocabulary

a' mhìos seo tighinn – next month
pìob (f) – pipe
an-earar – the day after tomorrow
a-rithist – again, later

Exercise 2

Turn the following into negative statements in the future tense, following the example.
Example: siubhail + Anna gu Canada an-ath-bhlidhna = cha shiubhail Anna gu Canada an-ath-bhliadhna

1. èist + sinn ris an rèidio feasgar a-màireach.
2. leugh + Mòrag an leabhar sin a' mhìos seo tighinn.
3. seinn + na caileagan na pìoban an-earar.
4. reic + Donnchadh an càr aige a-rithist.
5. sgioblaich + Oighrig an seòmar aice idir.
6. freagair + an tidsear a' cheist a chuir mi.
7. gabh + mi deoch ged a bhios am pathadh orm.
8. cluich + a' chlann aig an sgoil.
9. tachair + mòran an t-seachdain seo.
10. ceannaich + Iain an iris oir cha bhi airgead aige.

Exercise 3

Turn the following into questions in the future tense, following the example.
Example: bruidhinn + sibh ris an tidsear san sgoil = am bruidhinn sibh ris an tidsear san sgoil?

1. òl + Peadar an leann a bhios anns a' chidsin
2. sgrìobh + Teàrlach an leabhar math

3. ith + thu an lite a tha anns a' phreas
4. tog + iad dealbh leis a' chamara
5. fuirich + sinn ann an Ìle nuair a bhios mi sean
6. coimhead + thu air an iris ùir a-rithist
7. siubhail + na balaich fada
8. gabh + thu grèim bìdh anns a' chafaidh
9. falbh + Eilidh dhachaigh aig deireadh na seachdain
10. fliuch + Eanraig an còta a dh'aona ghnothaich

Exercise 4

Turn the following into reported speech statements in the future tense, following the examples.
Examples: Chuala mi [+ruith] Marsaili dhachaigh nuair a chaill i am bus [✔] = Chuala mi gun ruith Marsaili dhachaigh nuair a chailleas i am bus.

Chuala mi [+ruith] Marsaili dhachaigh nuair a chaill i am bus [✘] = Chuala mi nach ruith Marsaili dhachaigh nuair nach caill i am bus.

1. Thuirt Seonag [+bruidhinn] i ri Mòrag a-màireach [✔]
2. Chuala mi [+sgrìobh] Raibeart aiste san sgoil bhig [✘]
3. Tha Donnchadh ag ràdh [+gabh] e deoch feasgar Dihaoine [✘]
4. Thuirt thu [+leugh] thu an litir nuair a dh'fhaighnich mi [✔]
5. Thuirt Eachann [+òl] e uisge nuair a bhios am pathadh air [✔]
6. Chuala Màiri [+tog] a' chomhairle taighean ùra sa bhaile am-bliadhna [✔]
7. Tha am fear ag ràdh [+falbh] am bus gus ochd sa mhadainn [✘]
8. Chuala mi [+seinn] an nighean fad an latha an-diugh [✔]
9. Thuirt Anndra [+èist] e ris an rèidio [✘]
10. Thuirt Eilidh [+reic] i an càr a-rithist [✘]

Exercise 5

Translate to English:
1. An sgrìobh thu litir sa mhadainn?
2. Ciamar a dh'òlas mi seo?
3. Cha fhreagair mi sin.
4. Cò ruitheas sa cholaiste?
5. Suidhidh sinn air na cathraichean.
6. Chuala mi gun tog iad taighean sa bhaile am-bliadhna.

7. Am bruidhinn sinn ri Seonag?
8. Leughaidh mi an leabhar a-màireach.
9. Cha dhùin e an doras oir tha e blàth.
10. Cuin a dh'fhalbhas tu?

Exercise 6

Translate to Gaelic:
1. I will sit on the chair.
2. Will Donald eat the cake today?
3. Who will tidy this house?
4. I won't watch television in the afternoon.
5. When will we open the window?
6. I will drink water all day.
7. Where will she put the pen?
8. I heard that you will sing tonight.
9. Will they stay here?
10. They won't play.

Exercise 7

Answer with both a YES and a NO:
1. An tog thu am peann?
2. An cluich sinn an-diugh sa mhadainn?
3. An sgrìobh i an litir?
4. Nach fosgail thu an uinneag?
5. An ceannaich e na brògan?
6. Nach ith thu an t-aran?
7. An sgioblaich Iain an rùm?
8. Nach smaoinich thu a-rithist?
9. An dràibh iad dhachaigh?
10. An èist thu rium?.

16 EXPRESSING POSSESSION AND OWNERSHIP

Possession is normally shown by use of the preposition *aig*.
Ownership is normally distinguished, where necessary, by use of the preposition *le*.

Paradigms

agam	leam
agad	leat
aige	leis
aice	leatha
againn	leinn
agaibh	leibh
aca	leotha

Exercise 1

Make 'have'-sentences based on the person or preposition given and the nouns supplied. Examples:
cat + Mairead = Tha cat aig Mairead

peann + mi = Tha peann agam

1. leabhar + i
2. cù + Raibeart
3. baga + thu
4. taigh + sinn
5. biadh + iad
6. caraid + e
7. bràthair + sibh
8. iasg + Sìne
9. obair + mi
10. clann + iad

Vocabulary

piuthar (f) – sister
beachd (m) – idea, opinion
cothrom (m) – chance, opportunity
airgead (m) – money
fòn (m) – phone

Exercise 2

Make 'have'-questions based on the person or preposition given and the nouns supplied.
Examples:

cat + Mairead = A bheil cat aig Mairead?

peann + mi = A bheil peann agam?

1. piuthar + thu
2. clann + sibh
3. càr + e
4. beachd + mi
5. pàipear-naidheachd + i
6. cupa + Màiri
7. teaghlach + iad
8. cothrom + sinn
9. airgead + thu
10. fòn + i

Vocabulary

sgot (m) – a clue
lèine (f) – shirt
ticead (m) – ticket

Exercise 3

Make negative 'have'-sentences based on the person or preposition given and the noun supplied.
Examples:

cat + Mairead = Chan eil cat aig Mairead

peann + mi = Chan eil peann agam

1. sgot + thu
2. lèine ùr + e
3. cù + Raonaid
4. pàipear + sinn
5. uisge-beatha + iad
6. bràthair + mi
7. teòclaid + sibh
8. oifis + i
9. bàta + Mòrag
10. ticead + mi

Exercise 4

Make positive and negative reported speech 'have'-sentences based on the person or preposition given and the noun supplied.
Examples:

✓cat + Mairead = Chuala mi gu bheil cat aig Mairead.

✗ peann + mi = Chuala mi nach eil peann agam.

1. ✓bàta + Donnchadh
2. ✓leabhar + mi
3. ✓caraid + Seonag
4. ✗fòn + thu
5. ✓Gàidhlig + i
6. ✗aiste + e

7. ✗taigh-bìdh + iad
8. ✓còmhlan + sinn
9. ✗taigh-seinnse + sibh
10. ✓cù + e

To use the prepositional pronouns with the *'s ann le* construction, you will need the emphatic endings:

leamsa

leatsa

leis-san

leathase

leinne

leibhse

leothasan

Vocabulary
iuchair (f) - key
coineanach (m) - rabbit

Exercise 5

Cuir Beurla air na leanas:
1. 'S ann le Tormod a tha an taigh seo.
2. Chan ann leamsa a tha an leabhar.
3. 'S ann leothasan a tha a' chlann.
4. An ann leatsa a tha an iuchair?
5. Thuirt mi gur ann leamsa a tha a' chèic.
6. Nach ann leis-san a tha am peann?
7. Chuala mi gur ann le Mairead a tha an càr dearg.

8. Tha mi a' smaoineachadh gur ann le Tòmas a tha an lèine sin.
9. An ann le Ealasaid a tha an coineanach seo?
10. Chan ann leinne a tha na brògan.

Most of the time, *aig* is used to express having things, both in the temporary sense and also in the sense of long-term possession. The *'s ann le* usage is often used primarily to make a distinction between temporary possession and long-term ownership. In the following exercise, you will be using both prepositional structures to demonstrate this kind of distinction.

Exercise 6

Use the elements provided to construct sentences that distinguish between having something and owning it. Watch out for adverb cues – you may need to use past or future tenses of the verb 'to be'. Example:

An càr + Ìomhar + an-dràsta + Calum = Tha an càr aig Ìomhar an-dràsta, ach 's ann le Calum a tha e.

1. peann + Magaidh + an-diugh + Anna
2. cù + Donnchadh + sa mhadainn an-diugh + mi [remember to use the emphatic form]
3. seacaid + Sìle + a-raoir + Cairistìona [note the gender of *seacaid*]
4. leabhar + thu + feasgar an-diugh + e
5. cat dubh + Ealasaid + an-dè + thu
6. còta + e + an-dràsta + Calum
7. cupa + i + an t-seachdain seo chaidh + Seonaidh
8. pàipear + Iain + a-màireach + i
9. iuchair + Tormod + sa mhadainn + sinn
10. uaireadair + mi + an-diugh + sibh

Exercise 7

Answer the question "Cò leis a tha...?" [whose is...?] by completing the sentences that follow. Example:
Cò leis a tha an leabhar seo?

Tha iad ag ràdh... [Tòmas] = Tha iad ag ràdh gur ann le Tòmas a tha e.

1. Cò leis a tha an càr dubh faisg air an taigh?
   Tha mi a' smaoineachadh... [Calum]

2. Cò leis a tha am peann gorm?
   Is dòcha... [i]

3. Cò leis a tha an cat beag sin?
   Chuala mi... [iad]

4. Cò leis a tha am fòn ùr air a' bhòrd?
   Thuirt Anna... [thu]

5. Cò leis a tha am baga donn fon uinneig?
   Tha Iain ag ràdh... [Mairead]

6. Cò leis a tha am biadh seo?
   Tha mi a' smaoineachadh... [sinn]

7. Cò leis a tha an t-iasg ruadh?
   Chuala mi... [sibh]

8. Cò leis a tha am pàipear-naidheachd anns a' chàr?
   Thuirt Raghnall... [e]

9. Cò leis a tha an cupa leis a' chofaidh?
   Tha mi a' smaoineachadh... [mi]

10. Cò leis a tha an t-argead?
    Tha mi cinnteach... [Donnchadh]

Exercise 8

Answer the question "Cò aige tha...?" [who has...?] by saying that the first name/pronoun listed *has* it, but that it *belongs* to the second name/pronoun.
Example:

Cò aige a tha am peann dearg?

Calum...mi = Tha e aig Calum, ach 's ann leamsa a tha e.

1. Cò aige a tha an cù mòr?
   i… sinn

2. Cò aige a tha an lèine uaine?
   Marsaili… Ceit

3. Cò aige a tha an càr ùr?
   sinn… iad

4. Cò aige a tha an leabhar mu na Ceiltich?
   e… mi

5. Cò aige a tha am baga beag?
   mi… thu

6. Cò aige a tha am peansail seo?
   Sìne… sibh

7. Cò aige a tha an ticead?
   thu… i

8. Cò aige a tha am bàta brèagha?
   Eàirdsidh… e

9. Cò aige a tha a' chèic sin?
   mi… Cailean

10. Cò aige a tha an t-aran?
    sibh… Anna

Exercise 9

Idiomatic Usages.

   Gaelic regularly uses prepositions to form idioms: *aig*, in the sense of 'have', is used commonly like this; *le*, in the sense of 'belong', has fewer idioms, but it has other idioms in its wider 'with' sense. Translate the following literal phrases in order to discover the useful idioms that they express.

1. I have knowledge.
   knowledge = fios (m)
   Meaning: <u>I know</u>

2. Whom do you belong to? [work this one out literally: who with him you?]
   Meaning: where are you from/what are your family connections?

3. Do you have memory?
   memory = cuimhne (f)
   Meaning: <u>do you remember?</u>

4. Indifferent with you.
   indifferent = coma
   Meaning: <u>don't worry, never mind</u>

5. I have Gaelic.
   Gaelic = Gàidhlig (f)
   Meaning: <u>I know/can speak Gaelic.</u>

6. We have expectation.
   expectation = dùil (f)
   Meaning: <u>we expect, intend</u>

Exercise 10

Write out the paradigm of *ri*, along with the verb 'listening', so that your phrases make up:

1. listening to me
2. listening to you
3. listening to him
4. listening to her
5. listening to us
6. listening to you [pl.]
7. listening to them

.

17 USING THE COPULA FOR EMPHASIS

's e – to link noun/pronoun with noun/pronoun [it is a boat/she is Mary/we are the teachers]
Recall:

An e?
Yes = 's e
No = chan e
Thuirt… gur e/nach e

's ann – to link other parts of speech [it is at midnight/it is very seldom/it was busy]
Recall:

An ann?
Yes = 's ann
No = chan ann
Thuirt… gur ann/nach ann

Exercise 1

Take these neutral sentences and emphasise the noun/pronoun that is underlined. Note that we usually have to add *a tha/a bha/a bhios/a VERB* between the two elements (meaning "who is"/ "which is" etc.). Example:
Tha Iain ag obair sa ghàrradh = 'S e Iain a tha ag obair sa ghàrradh.

1. Tha <u>mi</u> trang an-diugh.
2. Tha <u>Màiri</u> ag obair san oifis bhig.
3. Tha mi a' smaoineachadh gu bheil <u>an cat</u> toilichte.
4. A bheil <u>thu</u> sgìth a-rithist?
5. Chan eil <u>i</u> a' cluich rugbaidh.
6. Thuirt Seonag gu bheil <u>sinn</u> a' falbh.
7. Thuirt Dàibhidh nach eil <u>sibh</u> ag òl uisge.
8. Chuala mi gu bheil <u>Dòmhnall</u> math air ball-coise.
9. Tha mi a' smaoineachadh nach eil <u>iad</u> a' tighinn a-màireach.
10. Tha dùil agam gu bheil <u>e</u> a' dol dhachaigh.

Exercise 2

Take these neutral sentences and emphasise the part of the sentence that is underlined. Note that we usually have to add *a tha/ a bha/ a bhios/a VERB* between the two elements (meaning "who is"/ "which is", etc.). Example:

Tha Iain ag obair <u>sa ghàrradh</u> = 's ann sa ghàrradh a tha Iain ag obair.

1. Tha Donnchadh <u>sgìth</u> den obair an-diugh.
2. Tha thu <u>ag iarraidh pìos cèic</u>.
3. Chan eil sinn ag òl <u>an-dràsta</u>.
4. A bheil Cailean <u>ag ithe</u> san taigh-bìdh?
5. Tha mi a' smaoineachadh gu bheil Mairead <u>trang</u> an-dràsta.
6. Thuirt Dòmhnall gu bheil e <u>ag obair</u> san oifis.
7. Chuala mi nach bi Anna an seo <u>gus a-màireach</u>.
8. Tha mi an dùil gum bi mi sa cholaiste <u>an-ath-sheachdain</u>.
9. Tha mi an dùil gum bi mi <u>sa cholaiste</u> an-ath-sheachdain.
10. Thuirt Mòrag gun robh i <u>aig an taigh</u>.

Exercise 3

The following sentences will ask you to emphasise either nouns/pronouns or other parts of speech. To do this, you will have to decide whether to use *'s e* or *'s ann* in each case. Also remember that the positive forms will usually require the addition of *a tha* or *a* plus the appropriate tense of the verb required in the sentence.
Example:

Sgrìobh <u>Magaidh</u> an litir = 'S e Magaidh *a sgrìobh* an litir.

1. Tha <u>Tormod</u> a' dol don oifis an-diugh.
2. Chan eil Lachaidh <u>ag ithe</u> an-dràsta.
3. A bheil Ùna <u>a' fosgladh uinneagan</u>?
4. Cha do sgrìobh <u>Màrtainn</u> an leabhar seo.
5. Bha Gòrdan trang air an aiste aige <u>a-raoir</u>.
6. Tha mise <u>glè sgìth</u> a-nis.
7. Dhùin <u>Màiri</u> an doras sa mhadainn an-diugh.
8. A bheil Raonaid <u>anns an sgoil</u>?
9. Tha <u>Barabal</u> toilichte leis a' bhaga.
10. Chan eil i <u>ag ithe aran</u> an-dràsta.

Exercise 4

Turn the following sentences into reported speech/embedded clause sentences, using the verb prompt given in brackets. Example:
'S e Calum a chàraich an càr dhomh. [Thuirt Ailean…] = Thuirt Ailean gur e Calum a chàraich an càr dhomh.

1. 'S ann aig meadhan-latha a dh'èirich Niall an-dè. [Thuirt Gòrdan…]
2. 'S e Eòghann a leugh an litir. [Thuirt Marsaili…]
3. 'S e an leabhar a sgrìobh e. [Thuirt Ruaraidh…]
4. 'S ann aig an taigh a bha an cat. [Chuala mi…]
5. Chan e Ealasaid a dh'òl an t-uisge-beatha. [Tha mi a' smaoineachadh…]
6. 'S e am balach a chunnaic an cù. [Chuala mi…]
7. Chan ann an-diugh a sgioblaich thu an rùm. [Tha mi a' smaoineachadh…]
8. Chan e Beathag a bhruidhinn ris an tidsear. [Chuala mi…]
9. Chan ann aig an tràigh a bha sinn. [Tha mi a' smaoineachadh…]
10. Chan ann a' snàmh a bha i. [Chuala mi…]

Exercise 5

Create questions from the prompts given, emphasising the first element listed.
Example:

anns a' mhadainn… dh'èirich Iain = an ann anns a' mhadainn a dh'èirich Iain?

1. Eàirdsidh… sgrìobh an litir… a leugh thu
2. Mìchel… an tidsear ùr… anns an sgoil
3. air a' bhòrd… chunnaic thu am peann

4. a' dràibheadh... air an rathad sin... a bha Mairead
5. Tòmas... dh'ith a' chèic... a rinn iad
6. aig an taigh... na leabhraichean
7. sinn... bhruidhinn air an rèidio... an latha sin
8. a' chaileag... choisich dhachaigh
9. trang... na boireannaich
10. an cù... dh'òl an t-uisge

Exercise 6

Rewrite the story by emphasising the underlined elements. Remember that some of these will require *'s e*, some will require *'s ann*, and some will need to include the relative pronoun *a*. Also remember to use emphatic pronouns [i.e. *mise* rather than *mi*] whenever you emphasise a pronoun.

Bhruidhinn mi ri Calum <u>aig a' cholaiste</u> an-dè. Thuirt <u>e</u> gun do sgrìobh e aiste airson Gearmailtis, ach cha robh e <u>toilichte leatha</u>. Bha e <u>a' smaoineachadh</u> gun d' rinn e mearachdan innte. Ach, chuala mi nach do sgrìobh <u>Anna</u> aiste idir: tha sin dona, nach eil! Dh'fhuirich mi <u>aig a' cholaiste</u> airson biadh. Tha <u>taigh-bìdh</u> math ann. Dh'ith mi gu leòr, ach cha do dh'òl mi càil, oir chan eil deochannan math aca, agus cha toil leam uisge. Thog mi <u>na leabhraichean agam</u>, agus dh'fhalbh mi <u>dhan bhùth-leabhraichean</u> san t-Sràid Mhòir. Cheannaich mi <u>faclair ùr</u>, ach cha do cheannaich mi pinn, oir tha gu leòr pinn agam. Leugh mi an leabhar ùr <u>air a' bhus</u>, nuair a bha mi a' tighinn dhachaigh.

Exercise 7

Rewrite the story by de-emphasising the underlined elements.

Tha Eòghann à Glaschu, ach <u>chan ann</u> ann an sin a tha e a' fuireach an-dràsta: <u>'s ann</u> ann an Dùn Èideann a tha e a' fuireach. <u>'S e</u> oileanach a th' ann. <u>Chan ann</u> aig an Oilthigh fhèin a tha e a' fuireach: <u>'s ann</u> faisg air Sràid a' Phrionnsa a tha e a' fuireach. <u>Chan ann</u> leis fhèin a tha an taigh anns a bheil e a' fuireach: <u>'s ann</u> le uncail a tha an taigh, agus mar sin chan eil Eòghann a' pàigheadh mòran màl. Cha robh e a' dèanamh mòran obair nuair a bha e san sgoil, ach <u>'s ann</u> a tha e ag obair gu cruaidh a-nis!

Vocabulary

asking [for information] – a' faighneachd

This verb must be followed by the preposition *de*: asking Seumas = a' faighneachd de Sheumas

Exercise 8

Put these phrases into Gaelic:
1. asking me
2. asking you
3. asking him
4. asking her
5. asking us
6. asking you [pl.]
7. asking them.

18 EXPRESSING THE INFINITIVE

The preposition *a* (to) added to the verbal noun can be used as if an infinitive. As always, *a* causes lenition where this is viable.

Exercise 1

Turn the following verbs into the 'to'-form. The example has a translation but there is no need for you to translate the verbs in the actual exercise.
Example:

ith; ag ithe = a dh'ithe [=to eat]

1. seòl; a' seòladh
2. suidh; a' suidhe
3. innis; ag innse
4. cleachd; a' cleachdadh
5. glan; a' glanadh
6. fosgail: a' fosgladh
7. dùin; a' dùnadh
8. cùm; a' cumail
9. bris; a' briseadh
10. ionnsaich; ag ionnsachadh
11. coisich; a' coiseachd
12. ruith; a' ruith
13. èirich; ag èirigh
14. cuir; a' cur
15. smèid; a' smèideadh

16. gabh; a' gabhail
17. bruidhinn; a' bruidhinn
18. ceannaich; a' ceannachd
19. freagair; a' freagairt
20. seinn; a' seinn

Vocabulary

maraton (m) – marathon
uighean – eggs [ugh (m) – egg]

Exercise 2

Write "I am going to"-sentences with the following verbs.
Example: a' fosgladh doras = tha mi a' dol a dh'fhosgladh doras

1. a' seòladh dhan Fhraing
2. a' freagairt ceistean
3. a' ruith maraton
4. a' ceannachd brògan
5. ag innse sgeulachd
6. a' glanadh uinneagan
7. a' cleachdadh peann
8. ag ionnsachadh na Gàidhlig
9. a' briseadh uighean
10. a' suidhe an seo

Exercise 3

Turn the following verbs into the 'to'-form. The example has a translation but there is no need for you to translate the verbs in the actual exercise.
Examples:

ith; ag ithe = a dh'ithe [=to eat]

cuir; a' cur = a chur [=to put, to send]

1. cluich; a' cluich(e)
2. coimhead; a' coimhead
3. danns; a' danns(a)
4. dràibh; a' dràibheadh
5. èist; ag èisteachd
6. falbh; a' falbh
7. fuirich; a' fuireach
8. leugh; a' leughadh
9. obair [or *obraich*]; ag obair
10. òl; ag òl
11. peant; a' peantadh
12. reic; a' reic
13. sgioblaich; a' sgioblachadh
14. siubhail; a' siubhal
15. smaoinich; a' smaoineachadh
16. snàmh; a' snàmh
17. tachair; a' tachairt
18. tog; a' togail
19. dèan; a' dèanamh*
20. thig; a' tighinn*

*these two are irregular verbs, but they form their 'infinitive' in the usual way

Vocabulary

pàirc (f) – park
dealbh (m) – picture
cofaidh (m) - coffee

Exercise 4

Write "he/it is going to"-sentences with the following verbs.
Example: a' leughadh iris = tha e a' dol a leughadh iris

1. a' tachairt sa phàirc
2. a' smaoineachadh fad an latha
3. a' dèanamh cèic
4. a' reic leabhraichean
5. a' cluich ceòl
6. a' fuireach ann an Obar Dheathain

7. a' peantadh dealbh
8. ag èisteachd ris an rèidio
9. ag òl cofaidh
10. a' sgioblachadh an taigh

Vocabulary

amar-snàimh (m) – swimming pool

Exercise 5

Write "Sarah is coming to"-sentences with the following verbs.
Example: a' peantadh taigh = Tha Sorcha a' tighinn a pheantadh taigh

1. a' cluich sa phàirc
2. a' snàmh san amar-snàimh
3. ag ithe cèic
4. ag òl cofaidh
5. a' coimhead air an telebhisean
6. ag èisteachd ris a' cheòl
7. a' reic càr
8. a' fuireach sa bhaile seo
9. a' dannsa aig a' chèilidh
10. a' suidhe air a' chathair

Vocabulary

deireadh na seachdain – the weekend
itealan (m) – aeroplane
breug (f) – a lie

Exercise 6

Write "George is stopping"-sentences with the following verbs.
Example: a' snàmh san loch = Tha Seòras a' sgur a shnàmh san loch

1. a' sgrìobhadh litrichean do na pàipearan-naidheachd
2. ag obair san oifis seo
3. ag ithe cèicean aig deireadh na seachdain

4. a' coimhead air an telebhisean
5. ag èisteachd ri ceòl fad an latha
6. a' tighinn do na cèilidhean
7. a' ceannachd irisean
8. a' siubhal air itealain
9. ag innse breugan
10. a' fuireach ann an Dùn Èideann

Exercise 7

Cuir Gàidhlig air na leanas:
1. She is going to sing at the ceilidh.
2. We are coming to buy shoes.
3. Iain is stopping eating cakes.
4. Are you going to make food?
5. Is she coming to sit on the chair?
6. Are the boys stopping watching television?
7. I am not going to tidy the house.
8. They are not coming to open windows.
9. He is not stopping learning Gaelic.
10. I am going to sail to France.

The verbal noun of 'to be' is never used (Gaelic has no equivalent of 'being'). The infinitive of the verb 'to be' is used very commonly: *a bhith*. It often appears with *a' dol* and *a' sgur* and an adjective, which gives a meaning somewhat similar to 'being'. Be wary of over-use of this strategy, as it is often indicative of a tendency to *think* your structures in English and then translate them to Gaelic in your head. However, there are occasions where it is valid: it expresses intentionality more clearly than simply using the future tense.

Example: Tha mi a' sgur a bhith brònach = I am stopping being sad

[Note that this example might give a Gaelic-speaker the impression that you had thought of what you wanted to say in English and then translated it: a more 'normal' way to express the same feeling in Gaelic might be: *cha bhi mi brònach tuilleadh*]

Exercise 8

Cuir Beurla air na leanas:
1. Tha sinn a' dol a bhith glè thrang an-diugh.
2. Tha Mòrag a' sgur a bhith san oifis a-nis.
3. A bheil thu a' dol a bhith ann a-màireach?
4. Tha mi a' smaoineachadh gu bheil sinn a' dol a bhith fadalach!
5. Chan eil iad a' dol a bhith faiceallach.
6. Tha e a' dol a bhith fuar a-màireach.
7. A bheil iad a' sgur a bhith cho slaodach?
8. Cuin a tha sin a' dol a bhith deiseil?
9. Chan eil e a' dol a bhith trom, a bheil?
10. Tha i a' sgur a bhith trang.

Vocabulary

chuir mi romham – I decided

Exercise 9

Say that the following people decided:
1. mi
2. thu
3. e
4. i
5. sinn
6. sibh
7. iad

19 IRREGULAR VERBS AND POSSESSIVE PRONOUNS

Exercise 1

Answer the following questions with the appropriate version of 'yes'.
1. An deach thu dhachaigh feasgar?
2. An cuala iad an ceòl?
3. An tuirt Donnchadh gun robh e trang ag obair?
4. Am faca Sìne an cù?
5. An d' rinn i obair mhath?
6. Nach deach sibh don sgoil?
7. Nach cuala tu an rèidio?
8. Nach d' rinn e aran?
9. Nach faca tu an nighean?
10. Nach tuirt Mairead gun robh i ag ithe?

Exercise 2

Answer the following questions with the appropriate version of 'no'.
1. An d' rinn thu gu math?
2. An cuala tu i a' seinn?
3. Nach deach thu don bhùth?
4. An tuirt Màrtainn càil?
5. Nach cuala iad an cat?
6. Nach d' rinn sibh cèic?
7. An deach thu don cholaiste?
8. Nach tuirt thu gun robh thu ag iarraidh ithe?
9. Am faca tu an dealbh sin?
10. Nach faca tu Mòrag?

Exercise 3

Construct questions using the elements provided, where the first noun given will be the subject of the sentence. Remember to be careful with *thu* after certain words.
Example:

Iain... brògan ùra [a' dèanamh] = an d' rinn Iain brògan ùra?

1. Mairead... don taigh-seinnse Dihaoine [a' dol]
2. thu... na faclan a thuirt Seonaidh [a' cluinntinn]
3. Seonag... am prògram math air an telebhisean a-raoir [a' faicinn]
4. Calum... gu bheil e gu math [ag ràdh]
5. i... an aiste [a' dèanamh]
6. sinn... an còmhlan ud a' cluich [a' cluinntinn]
7. e... don sgoil ged a bha e fadalach [a' dol]
8. thu... am biadh a bha thu ag iarraidh [a' dèanamh]
9. iad... na faclan [ag ràdh]
10. Gòrdan... an trèan a' falbh [a' faicinn]

Exercise 4

Complete these reported speech/embedded clause sentences using the appropriate form of the verb given in brackets.
Example:

+Thuirt Màiri [a' dèanamh] i obair mhath an-dè = Thuirt Màiri gun d' rinn i obair mhath an-dè.

- Thuirt Màiri [a' dèanamh] i obair mhath an-dè = Thuirt Màiri nach d' rinn i obair mhath an-dè.

1. +Chuala mi [a' dol] thu don sgoil sa chàr.
2. +Thuirt Tormod [a' cluinntinn] e an naidheachd bho Mharsaili.
3. +Tha mi a' smaoineachadh [a' faicinn] mi am film an-uiridh.
4. +Thuirt Iain [a' dèanamh] e aran dhut.
5. -Chuala mi [a' faicinn] Niall am prògram fhathast.
6. -Tha mi a' smaoineachadh [a' cluinntinn] tusa an sgeulachd.
7. -Tha Teàrlag ag ràdh [a' dol] i dhachaigh.
8. -Chuala mi [a' dèanamh] thu glè mhath san deuchainn.
9. +Smaoinich mi [ag ràdh] thu gun robh thu trang.
10. -Thuirt Iagan [ag ràdh] thu sin idir.

Exercise 5

Recall the question words *cò, dè, cuin, ciamar* [who, what, when, how]. All of these take the independent form of the verb. The question word *càit* [where] is different, in that it takes the full question form of the verb: *càit a bheil? Càit an robh? Càit am bi?* With all of this in mind, translate these questions to Gaelic:
1. Who went to the shop on Tuesday?
2. When did Maggie make the bread?
3. How did you go to college?
4. Where did she hear that?
5. Who did it?
6. Where did he say the words?
7. Who saw the film on Saturday evening?
8. When did we hear the music?
9. What did they do in the morning?
10. What did Mary say to Peter?

Exercise 6

In this exercise, convert each pronoun to a possessive and treat the accompanying noun accordingly. Example:

mi + bràthair = mo bhràthair

1. mi + piuthar
2. thu + piuthar
3. e + bràthair
4. i + piuthar
5. sinn + piuthar
6. sibh + bràthair
7. iad + piuthar
8. mi + athair
9. thu + athair
10. e + athair
11. i + athair
12. sinn + màthair
13. sibh + athair
14. iad + màthair
15. mi + màthair
16. thu + màthair
17. e + màthair
18. i + màthair

19. sinn + athair
20. sibh + màthair
21. iad + athair
22. mi + nighean
23. thu + nighean
24. e + nighean
25. i + nighean
26. sinn + nighean
27. sibh + nighean
28. iad + nighean

Vocabulary
bean (f) - wife

Exercise 7

Convert these *aig*-phrases to possessive pronoun phrases, meaning the same thing.
Example:

an caraid agam = mo charaid

1. An ceann aice
2. A' bhean agad
3. An càr aca
4. An t-athair againn
5. An leabhar aige
6. An taigh agaibh

Exercise 8

Cuir Beurla air na leanas:
1. Chunnaic mi do charaid anns a' cholaiste an-dè sa mhadainn agus bha i trang.
2. Cha d' rinn Dòmhnall cèic ged a thuirt e gun robh e a' dol a dhèanamh cèic.
3. An deach na balaich don bhùth aig deireadh na seachdain?
4. Dè thuirt Magaidh nuair a dh'fhalbh i?
5. Cò chuala am prògram nuair a bha an rèidio air?
6. Càit am faca tu do bhràthair a-raoir?
7. Thuirt Ruaraidh nach d' rinn e an t-aran ach bha e ag iarraidh aran.
8. Nach faca tu a màthair nuair a chaidh thu dhan eaglais?
9. Ciamar a chaidh mo phiuthar dhan oifis ged a bha a càr fhathast an seo?
10. An e ar n-athair a chunnaic am film feasgar Disathairne?

20 PRONOUNS AS DIRECT OBJECTS AND PAST PARTICIPLES

Recall the relevant paradigm here:

gam [+ lenition] = at my, i.e. ---ing me
gam fhaicinn = seeing me

gad [+ lenition] = at your, i.e. ---ing you
gad chluinntinn = hearing you

ga [+ lenition] = at his, i.e. ---ing him/it
ga chleachdadh = using it [masculine noun]
ga ithe = eating it [masculine noun]

ga [*h* before vowel] = at her, i.e. ---ing her
ga cleachdadh = using it [feminine noun]
ga h-ithe = eating it [feminine noun]

gar [*n* before vowel] = at our, i.e. ---ing us
gar faicinn = seeing us
gar n-ionndrainn = missing us

gur [*n* before vowel] = at your, i.e. ---ing you
gur faicinn = seeing you
gur n-ionndrainn = missing you [plural or polite]

gan [*gam* before, b, f, m, p] = at their, i.e. ---ing them
gan togail = picking them up
gam faicinn = seeing them

Exercise 1

Using the information provided in each sentence below, create a second sentence that replaces the noun with a direct object pronoun. The examples are translated for the sake of clarity, but you do not need to translate your sentences.
Example:

Cha robh Dòmhnall ag ithe cèic [Donald wasn't eating a cake] = Cha robh Dòmhnall ga h-ithe [Donald wasn't eating it]

1. Tha Mìchel a' togail peann.
2. Bha Mòrag a' cosg airgead.
3. An robh thu a' sgioblachadh do sheòmar?
4. Bidh Tormod a' seinn òran.
5. Am bi Raonaid a' cluich giotàr?
6. Thuirt Ealasaid gun robh i a' freagairt ceist.
7. Bha thu a' cuideachadh Alasdair.
8. Am bi na caileagan ag ionnsachadh Gàidhlig?
9. A bheil thu a' creidsinn Iain?
10. Tha mi a' smaoineachadh nach bi sinn ag ithe aran.

Exercise 2

Make sentences out of the following elements. You will have to change the underlined pronoun into a direct object pronoun.
Example:

Tha + Eilidh + a' cur + i + gu + Ruaraidh = Tha Eilidh ga cur gu Ruaraidh

1. Tha + mi + ag iarraidh + iad + a-nis
2. Bha + Màrtainn + a' leughadh + e + sa mhadainn
3. An robh + thu + a' cuideachadh + sinn + leis an obair
4. Cha robh + e + a' togail + sibh + sa chàr
5. Bidh + Calum + a' dèanamh + i
6. Am bi + sibh + a' cleachdadh + iad
7. Bidh + mi + a' faicinn + thu
8. Tha + iad + ag ionnsachadh + e
9. A bheil + sibh + a' bruidhinn + i
10. Cò + bhios + a' peantadh + iad?

Exercise 3

Give the Gaelic for the following short phrases.
1. starting it [masculine 'it']
2. opening them
3. losing you [plural]
4. paying him
5. keeping them
6. waking me
7. seeing you [plural]
8. playing it [feminine 'it']
9. buying them
10. believing us
11. breaking it [masculine 'it']
12. picking me up
13. closing it [masculine 'it']
14. answering me
15. reading them

Vocabulary

leannan (m) – sweetheart, boyfriend, girlfriend
cunntas (m) – bill, account

Exercise 4

Write sentences expressing that the things mentioned have already happened or will happen before [ro] a certain time or day. The underlined noun is the thing that is completed. Follow the structure used in the example.
Example:

am bùth… a' dùnadh aig 4… tha e 5 = Tha am bùth dùinte

1. sgrìobhaidh mi litir… ro Dhiluain… 's e an-diugh Dimàirt
2. Ruaraidh agus a mhac… a' togail taigh
3. Mairead… ag òl uisge-beatha… Oidhche Haoine… 's an-diugh Disathairne
4. Seonaidh… a' reic càr sa mhadainn… tha e trì san fheasgar
5. an uinneag… a' fosgladh nuair a tha e blàth… tha e glè bhlàth
6. a' dèanamh aran… ro 6 sa mhadainn… tha e deich a-nis
7. Màiri agus a leannan… a' pòsadh Diardaoin… 's e an-diugh Dihaoine
8. an cunntas mòr…a' pàigheadh an-dè

114

Vocabulary

uairean – hours, o'clock

Exercise 5

Write out the abbreviated answers to the questions in full form. Try to do this without looking up the numbers.
Example:

Dè an uair a tha e? Tha e 3m = Tha e trì uairean sa mhadainn

Dè an uair a tha e? Tha e 3f = Tha e trì uairean feasgar

1. Dè an uair a tha e? Tha e 5m.
2. Dè an uair a tha e? Tha e 9f.
3. Dè an uair a tha e? Tha e 7f.
4. Dè an uair a tha e? Tha e 10m.
5. Dè an uair a tha e? Tha e 4f.
6. Dè an uair a tha e? Tha e 8m.
7. Dè an uair a tha e? Tha e 6m.
8. Dè an uair a tha e? Tha e 5f.
9. Dè an uair a tha e? Tha e 9m.
10. Dè an uair a tha e? Tha e 4m.

Vocabulary

co-là breith – birthday
càl (m) - cabbage

Exercise 6

Fill in the gaps in the following dialogues according to the pattern given in the example.
Example:

Cuin a bhios tu a' fosgladh do shùilean?
Bidh mi ….[opening them]… aig seachd sa mhadainn.
Dè an uair a tha e a-nis?
Ochd.
Mar sin, tha do shùilean …[opened].
=

Cuin a bhios tu a' fosgladh do shùilean?
Bidh mi gam fosgladh aig seachd sa mhadainn.
Dè an uair a tha e a-nis?
Ochd.
Mar sin, tha do shùilean fosgailte.

1. An do sgrìobh thu cairt airson co-là breith Eàirdsidh?
   Sgrìobh. Bha mi …[writing it]… nuair a bha thu ag obair.
   Mar sin, tha i …[written].

2. A bheil thu a' smaoineachadh gun ith a' chlann an càl?
   Tha. Bha iad …[eating it]… an-dràsta.
   Seadh, agus tha e …[eaten]!

3. Cò tha a' dèanamh aran san taigh seo?
   'S e Aonghas a bhios …[making it].
   A bheil aran sam bith …[made]?

4. Cuin a bhios iad a' dùnadh dorsan aig an taigh-bìdh?
   Bidh iad …[closing them]… mu naoi uairean feasgar. Dè an uair a tha e an-dràsta?
   Tha e deich uairean.
   Mar sin, bidh na dorsan …[closed].

Exercise 7

Cuir Gàidhlig air na leanas:
1. I was opening it ['it'-*masc.*] in the morning.
2. She will be picking them up tomorrow afternoon.
3. We were believing you ['you'-*informal*] until you said that!
4. They were learning it ['it'-*fem.*] in school.
5. She will be helping me on Tuesday.
6. Will they be sending you ['you'-*polite*]?
7. Mary will be paying us.
8. I will be doing it ['it'-*masc.*] every day.

ANSWERS

Yes and No Answers
Exercise 1

1. An e càr a th' ann?

   'S e.

2. An e uinneag a th' ann?

   Chan e.

3. An e sgoil a th' ann?

   Chan e.

4. An e feòil a th' ann?

   Chan e.

5. An e obair a th' ann?

   'S e.

6. An e madainn a th' ann?

   'S e.

Yes and No Answers

1. A bheil i toilichte?

   Tha.

2. A bheil e trang?

   Chan eil.

3. A bheil iad sgìth?

   Tha.

4. A bheil i ag obair?

   Tha.

5. A bheil e ag ithe?

   Chan eil.

6. A bheil thu gu math?

   Chan eil.

Yes and No Answers

1. A bheil Seonag ag ithe an-dràsta?
2. A bheil thu trang an-diugh?
3. An e peann math a tha sin?
4. An e balach mòr a th' ann?
5. A bheil thu trang ag obair?
6. An e caileag sgìth a th' innte?
7. An e sràid mhòr a tha seo?
8. An e sgoil bheag a th' ann?
9. A bheil iad a' tighinn an-dràsta?
10. An e feòil mhath a th' ann?

Yes and No Answers
Exercise 4

1. An e latha sgòthach a th' ann?

    'S e, 's e latha sgòthach a th' ann.

    Chan e, chan e latha sgòthach a th' ann.

2. A bheil an iris fada?

    Tha, tha an iris fada.

    Chan eil, chan eil an iris fada.

3. An e càr luath a tha sin?

    'S e, 's e càr luath a tha sin.

    Chan e, chan e càr luath a tha sin.

4. A bheil an obair cruaidh?

    Tha, tha an obair cruaidh.

    Chan eil, chan eil an obair cruaidh.

5. A bheil an aimsir math an-diugh?

    Tha, tha an aimsir math an-diugh.

    Chan eil, chan eil an aimsir math an-diugh.

6. An e latha blàth a th' ann?

    'S e, 's e latha blàth a th' ann.

    Chan e, chan e latha blàth a th' ann.

7. A bheil am bòrd mòr?

    Tha, tha am bòrd mòr.

    Chan eil, chan eil am bòrd mòr.

8. A bheil i sgìth ag obair a-nis?

    Tha, tha i sgìth ag obair a-nis.

    Chan eil, chan eil i sgìth ag obair a-nis.

9. A bheil Iain agus Calum ag ithe?

    Tha, tha Iain agus Calum ag ithe.

    Chan eil, chan eil Iain agus Calum ag ithe.

10. An e feasgar blàth ach sgòthach a th' ann?

    'S e, 's e feasgar blàth ach sgòthach a th' ann.

    Chan e, chan e feasgar blàth ach sgòthach a th' ann.

Yes and No Answers
Exercise 5

1. Màiri is happy.

Q. A bheil Màiri toilichte?

A. Tha.

2. It is warm today.

Q. A bheil e blàth an-diugh?

A. Tha.

3. It is a big table.

Q. An e bòrd mòr a th' ann?

A. 'S e.

4. Calum is drinking.

Q. A bheil Calum ag òl?

A. Tha.

5. They are not long.

Q. A bheil iad fada?

A. Chan eil.

6. It is a cloudy afternoon.

Q. An e feasgar sgòthach a th' ann?

A. 'S e.

7. She is busy right now.

Q. A bheil i trang an-dràsta?

A. Tha.

8. It is not fast.

Q. A bheil e luath?

A. Chan eil.

9. It is not a warm morning.

Q. An e madainn bhlàth a th' ann?

A. Chan e.

10. It's a big house.

Q. An e taigh mòr a th' ann?

A. 'S e

Yes and No Answers
Exercise 6

1. Chan e.
2. Tha.
3. Tha.
4. Chan eil.
5. Chan eil.
6. 'S e.
7. 'S e.
8. Tha.

Yes and No Answers
Exercise 7

1. Ochd
2. Deich
3. Neoini
4. Trì
5. Naoi
6. Ceithir
7. Sia
8. Dhà
9. Còig
10. Aon

Definite and Indefinite Nouns Answers

Exercise 1

1. Leabhar
2. Bòrd
3. Uinneag
4. Doras
5. Baga
6. Bòrd
7. Peann
8. Baga
9. Doras
10. Leabhar
11. Uinneag
12. Peann

Definite and Indefinite Nouns Answers

Exercise 2

1. 'S e bòrd a th' ann.
2. 'S e leabhar a th' ann.
3. 'S e uinneag a th' ann.
4. 'S e peann a th' ann.
5. 'S e baga a th' ann.
6. 'S e doras a th' ann.
7. 'S e taigh a th' ann.

Definite and Indefinite Nouns Answers

Exercise 3

1. Chan e leabhar a th' ann.
2. Chan e bòrd a th' ann.
3. Chan e baga a th' ann.
4. Chan e uinneag a th' ann.
5. Chan e peann a th' ann.
6. Chan e taigh a th' ann.
7. Chan e doras a th' ann.

Definite and Indefinite Nouns Answers
Exercise 4

1. An e leabhar a th' ann?
2. An e taigh a th' ann?
3. An e uinneag a th' ann?
4. An e doras a th' ann?
5. An e peann a th' ann?
6. An e baga a th' ann?
7. An e bòrd a th' ann?

Definite and Indefinite Nouns Answers
Exercise 5

1. Thuirt Iain gur e leabhar a th' ann.
2. Thuirt Iain gur e uinneag a th' ann.
3. Thuirt Iain gur e doras a th' ann.
4. Thuirt Iain gur e baga a th' ann.
5. Thuirt Iain gur e bòrd a th' ann.
6. Thuirt Iain gur e taigh a th' ann.
7. Thuirt Iain gur e peann a th' ann.

Definite and Indefinite Nouns Answers
Exercise 6

1. Thuirt Iain nach e uinneag a th' ann.
2. Thuirt Iain nach e baga a th' ann.
3. Thuirt Iain nach e bòrd a th' ann.
4. Thuirt Iain nach e taigh a th' ann.
5. Thuirt Iain nach e peann a th' ann.
6. Thuirt Iain nach e doras a th' ann.
7. Thuirt Iain nach e leabhar a th' ann.

Definite and Indefinite Nouns Answers
Exercise 7

1. 's e càr a th' ann
2. an e leabhar a th' ann?
3. chan e uinneag a th' ann
4. 's e bòrd a th' ann

Definite and Indefinite Nouns Answers
Exercise 8

1. Chan e leabhar a th' ann; 's e doras a th' ann.
2. Chan e peann a th' ann; 's e uinneag a th' ann.
3. Chan e bòrd a th' ann; 's e baga a th' ann.
4. Chan e bòrd a th' ann; 's e taigh a th' ann.

Definite and Indefinite Nouns Answers
Exercise 9

1. Dè tha seo?
'S e bòrd a th' ann.

2. Dè tha seo?
'S e doras a th' ann.

3. Dè tha seo?
'S e uinneag a th' ann.

4. Dè tha seo?
'S e leabhar a th' ann.

5. Dè tha seo?
'S e peann a th' ann.

6. Dè tha seo?
'S e baga a th' ann.

7. Dè tha seo?
'S e càr a th' ann.

8. Dè tha seo?
'S e taigh a th' ann.

Definite and Indefinite Nouns Answers
Exercise 10

1. Dè thuirt Màiri?
Thuirt Màiri gur e doras a th' ann.

2. Dè thuirt Màiri?
Thuirt Màiri gur e bòrd a th' ann.

3. Dè thuirt Màiri?
Thuirt Màiri gur e leabaidh a th' ann.

4. Dè thuirt Màiri?
Thuirt Màiri gur e leabhar a th' ann.

5. Dè thuirt Màiri?
Thuirt Màiri gur e baga a th' ann.

6. Dè thuirt Màiri?
Thuirt Màiri gur e cupa a th' ann.

7. Dè thuirt Màiri?
Thuirt Màiri gur e balach a th' ann.

8. Dè thuirt Màiri?
Thuirt Màiri gur e caileag a th' ann.

9. Dè thuirt Màiri?
Thuirt Màiri gur e uinneag a th' ann.

10. Dè thuirt Màiri?
Thuirt Màiri gur e càr a th' ann.

Definite and Indefinite Nouns Answers
Exercise 11

1. Còig
2. Sia-deug
3. Fichead
4. Trì
5. Ochd-deug
6. Ceithir-deug
7. Trì-deug
8. Seachd-deug
9. Naoi
10. Naoi-deug

Spelling Rule and Present Tense Answers

Exercise 1

Here, characters are shaded if they should be deleted and <u>underlined</u> if they should be added for correct spelling:

SORCH~~E~~A:	Halò. Is mise Sorch~~e~~a.
RUAR<u>A</u>IDH:	Latha math. Is mise Ruair<u>a</u>idh.
SORCH~~E~~A:	Ciamar a tha thu, a Ruairaidh?
RUAR<u>A</u>IDH:	Tha gu math, taipadh leat. Ciamar a tha thu fhèin?
SORCH~~E~~A:	Tha gu math. *Looking at her list.* Tha Iain trang.

Sorcha turns to the student on her right.

SORCH~~E~~A:	Hai. Is mise Sorch~~e~~a. Seo Ruairaidh.
RUAR<u>A</u>IDH:	Thuirt Sorch~~e~~a gu bheil Iain trang.
TOIRMOD:	Hai. Is mise Toirmod.
SORCH~~E~~A:	Halò, a Thoirmoid. Ciam~~e~~ar a tha thu?
TOIRMOD:	Tha gu math tapadh leat.
RUAR<u>A</u>IDH:	(*looking at his list*) Chan e bòrd mòr a th' ann.
TOIRMOD:	(*to Sorcha*) Thuirt Ruaraidh nach e bòrd mòr a th' ann.
SORCH~~E~~A:	Chan e.
TOIRMOD:	(*looking at his list*) Tha an tid<u>s</u>ear math.
SORCH~~E~~A:	(*to Ruaraidh*) Thuirt Tormod gu bheil an tid<u>s</u>ear math.

Spelling Rule and Present Tense Answers
Exercise 2

1.	tàillear	(tailor)
2.	doras	(door)
3.	ceannard	(leader)
4.	sgioba	(team)
5.	rudan	(things)
6.	leabhar	(book)
7.	teine	(fire)
8.	mathan	(bear)
9.	cathair	(chair)
10.	uinneag	(window)
11.	pàipear	(paper)
12.	sgrìobhadh	(writing)
13.	smaoineachadh	(thinking)
14.	tòiseachadh	(starting)
15.	ceannachd	(buying)
16.	cailleach	(old lady)
17.	bodach	(old man)
18.	coineanach	(rabbit)
19.	gille	(boy)
20.	sona	(happy)

Spelling Rule and Present Tense Answers
Exercise 3

Here, a tick (✓) marks a likely spelling combination and a cross (✗) marks an unlikely one.

1.	-ille-	(✓)
2.	-anna-	(✓)
3.	-ighe-	(✓)
4.	-adhe-	(✗)
5.	-ighae-	(✗)
6.	-inno-	(✗)
7.	-achi-	(✗)

8.	-echa-	(✗)
9.	-ada-	(✓)
10.	-ora-	(✓)
11.	-oma-	(✓)
12.	-oila-	(✗)
13.	-anne-	(✗)
14.	-obi-	(✗)
15.	-ubha-	(✓)
16.	-illa-	(✗)
17.	-alla-	(✓)
18.	-uma-	(✓)
19.	-abha-	(✓)
20.	-atha-	(✓)

Spelling Rule and Present Tense Answers
Exercise 4

Here are some indicative answers. Other answers are possible. If you have access to more vocabulary, feel free to try out further options.
1. Tha an doras…fosgailte/dùinte………………………………………………
2. Chan eil an leabhar…………math/mòr/dona/fosgailte/ dùinte…………..
3. A bheil an uinneag…fosgailte/ dùinte …………………………?
4. Tha mi…toilichte/trang/sgìth…………………………… a-nis.
5. Tha a' chaileag…beag/trang/toilichte/ sgìth…………………
6. Chan eil am baga…beag/ mòr/fosgailte/ dùinte …………………………
7. A bheil am biadh math/dona…………………?
8. Tha an t-aran…math/dona…………………………a-nis.

Spelling Rule and Present Tense Answers
Exercise 5

Here are some indicative answers. Other answers are possible. If you have access

to more vocabulary, feel free to try out further options.
1. A bheil Mairead...ag obair/ag ithe................?
2. Tha mi...a' leughadh/a' cadal.........................
3. Chan eil a' chaileag...a' cadal/a sgrìobhadh....................
4. A bheil thu......ag obair/ag òl ....?
5. Chan eil Iain...a' leughadh/a' cadal....................
6. Tha i......a' sgrìobhadh/ag ithe..................

Spelling Rule and Present Tense Answers
Exercise 6

1. I'm working in the morning.
2. Mairi and Helen are eating good food.
3. Norman is not sleeping but he is tired.
4. Calum said that the boy is busy working.
5. Is the house empty?
6. You said that the bread is not good.

Spelling Rule and Present Tense Answers
Exercise 7

1. Tha mi an-còmhnaidh trang.
2. A bheil an t-aran math?
3. Chan eil iad ag obair.
4. Chan eil an uinneag fosgailte.
5. Thuirt e gu bheil e sgìth.
6. Chan eil am balach a' leughadh.

Spelling Rule and Present Tense Answers
Exercise 8

1.   Tha mi a' fuireach ann an Obar Dheathain a-nis.
     Negative: Chan eil mi a' fuireach ann an Obar Dheathain a-nis.
     Question: A bheil mi a' fuireach ann an Obar Dheathain a-nis?
     Positive Reported: Thuirt mi gu bheil mi a' fuireach ann an Obar
     Dheathain a-nis.
     Negative Reported: Thuirt mi nach eil mi a' fuireach ann an Obar
     Dheathain a-nis.

2.   Tha an cnatan orm.
     Negative: Chan eil an cnatan orm.
     Question: A bheil an cnatan orm?
     Positive Reported: Thuirt mi gu bheil an cnatan orm.
     Negative Reported: Thuirt mi nach eil an cnatan orm.

3.   Tha mi fhèin a' fuireach ann an Rosemount.
     Negative: Chan eil mi fhèin a' fuireach ann an Rosemount.
     Question: A bheil mi fhèin a' fuireach ann an Rosemount?
     Positive Reported: Thuirt mi gu bheil mi fhèin a' fuireach ann an
     Rosemount.
     Negative Reported: Thuirt mi nach eil mi fhèin a' fuireach ann an
     Rosemount.

4.   Tha an tidsear math.
     Negative: Chan eil an tidsear math.
     Question: A bheil an tidsear math?
     Positive Reported: Thuirt mi gu bheil an tidsear math.
     Negative Reported: Thuirt mi nach eil an tidsear math.

5.   Tha i glè mhath.
     Negative: Chan eil i glè mhath.
     Question: A bheil i glè mhath?
     Positive Reported: Thuirt mi gu bheil i glè mhath.
     Negative Reported: Thuirt mi nach eil i glè mhath.

6. Tha mi à Mayo.
    Negative: Chan eil mi à Mayo.
    Question: A bheil mi à Mayo?
    Positive Reported: Thuirt mi gu bheil mi à Mayo.
    Negative Reported: Thuirt mi nach eil mi à Mayo.

Spelling Rule and Present Tense Answers
Exercise 9

1. Fichead 's a dhà / dhà air fhichead
2. Fichead 's a sia / sia air fhichead
3. Ochd-deug
4. Ceithir
5. Fichead 's a h-aon / aon air fhichead
6. Fichead 's a naoi / naoi air fhichead
7. Fichead 's a deich / deich air fhichead
8. Ceithir-deug
9. Fichead 's a h-ochd / ochd air fhichead
10. Fichead 's a còig / còig air fhichead

Masculine Nominative Singular Answers

Exercise 1

1. An leabhar
2. Am bòrd
3. Am baga
4. Am peann
5. An doras
6. An taigh
7. An cù

Masculine Nominative Singular Answers
Exercise 2

1. An ceum
2. Am pàipear
3. An t-aran
4. An t-oilthigh
5. An gàirdean
6. An t-oileanach
7. An cat
8. An t-ìm
9. An ceann

Masculine Nominative Singular Answers
Exercise 3

1. Am peann agus am pàipear
2. An cù agus an cat
3. An t-oileanach agus an t-oilthigh
4. An t-oilthigh agus an ceum

5. An taigh agus an doras
6. An leabhar agus am baga
7. An t-aran agus an t-ìm
8. An gàirdean agus an ceann

Masculine Nominative Singular Answers
Exercise 4

1. The boy is busy.
2. The man is not working.
3. I heard that the door is open.
4. She heard that the food is not good.
5. They said that the bag is full.
6. Is the university big?
7. She said that the subject is good.
8. The brother is tired.

Masculine Nominative Singular Answers
Exercise 5

1. Tha an rathad trang.
2. Chan eil an cat toilichte.
3. Thuirt Màiri nach eil an t-aran math.
4. Chuala mi gu bheil an leabhar beag.
5. A bheil an taigh dùinte?
6. Chan eil an cù ag ithe ach tha e ag òl.
7. An tuirt Sìne gu bheil an rathad dùinte?
8. Tha am bòrd beag.

Masculine Nominative Singular Answers
Exercise 6

1. There is a car here.
2. The car is empty.
3. It is a car.
4. This is the car.
5. It is a big car.
6. This is the big car.
7. There is a bag here.
8. The bag is closed.
9. It is a bag.
10. It is a small bag.
11. This is the bag.
12. This is the small bag.

Masculine Nominative Singular Answers
Exercise 7

1. An doras fosgailte ach an taigh dùinte.
2. Am balach beag ach am bràthair mòr.
3. An rathad trang ach an càr math.
4. Am biadh math ach an t-uisge dona.
5. An latha trang ach am fear sgìth.

Masculine Nominative Singular Answers
Exercise 8

1. Am boireannach
2. An t-àm
3. Am feur
4. Am forc
5. Am post-d

6. Am mullach
7. An dath
8. Am pasgan
9. Am balla
10. An t-each

Masculine Nominative Singular Answers
Exercise 9

1. Tha am balach trang ag obair.
2. Chan eil am biadh seo dona.
3. Chuala mi gu bheil an cànan math.
4. Tha am fear agus am bràthair ag ithe aran / Tha am bràthair agus am fear ag ithe aran

Masculine Nominative Singular Answers
Exercise 10

1. Dà fhichead 's a ceithir
2. Fichead 's a h-ochd / ochd air fhichead
3. Dà-dheug air fhichead / fichead 's a dhà-dheug
4. Ceithir fichead 's a seachd
5. Dhà-dheug
6. Lethcheud
7. Trì fichead 's a h-aon
8. Ceithir fichead 's a sia-deug
9. Ochd-deug
10. Naoi-deug
11. Fichead
12. Fichead 's a h-aon / aon air fhichead
13. Fichead 's a còig-deug / còig-deug air fhichead
14. Dà fhichead 's a h-ochd
15. Lethcheud 's a dhà

Feminine Nominative Singular Answers

Exercise 1

1. An fhreagairt
2. An sgoil
3. A' chèilidh
4. An t-seachdain
5. An litir
6. An eaglais
7. An sgeulachd
8. A' cheist

Feminine Nominative Singular Answers
Exercise 2

1. A' mhadainn
2. A' chathair
3. An aimsir
4. An obair
5. An leabaidh
6. An oidhche
7. A' chaileag
8. An uinneag

Feminine Nominative Singular Answers
Exercise 3

1. A' mhadainn agus an oidhche
2. An uinneag agus an eaglais
3. An leabaidh agus a' chathair
4. A' cheist agus an fhreagairt
5. An sgeulachd agus an litir
6. A' chaileag agus a' chèilidh
7. An t-seachdain agus an sgoil

Feminine Nominative Singular Answers
Exercise 4

1. The magazine is good.
2. The train is not here.
3. Is the office open?
4. The lecture is not there.
5. The college is closed.
6. Is the nose big?
7. The eye is closed.
8. The ear is not small.
9. The meat is not good.
10. Is the street closed?

Feminine Nominative Singular Answers
Exercise 5

1. A bheil a' chaileag toilichte?

2. Chan eil an eaglais fosgailte.

3. Tha an leabaidh beag.

4. A bheil an iris math?

5. Chuala mi gu bheil an sgoil dùinte.

6. Thuirt Calum nach eil a' cholaiste mòr.

7. A bheil an sgoil math?

8. Thuirt Iain gu bheil an t-sràid falamh.

Feminine Nominative Singular Answers
Exercise 6

1. A college is here/there is a college here.
2. The college is small.
3. It is a college.
4. This is the college.
5. It's a little college.
6. This is the little college.
7. An eye is here/there is an eye here.
8. The eye is closed.
9. It is an eye.
10. It's a little eye.
11. This is the eye.
12. This is the little eye.

Feminine Nominative Singular Answers
Exercise 7

1. An uinneag bheag ach an t-sùil fhosgailte.
2. A' chaileag bheag ach an t-sràid mhòr.
3. An trèan thrang ach an uinneag dhùinte.
4. An t-sròn mhath ach an aimsir dhona.
5. An oifis thrang ach an eaglais dhùinte.

Feminine Nominative Singular Answers
Exercise 8

1. An long
2. A' bheatha
3. A' chrìoch
4. An abhainn
5. An aiste
6. An iolair
7. An fheòrag
8. An nobhail

9. An t-slighe
10. A' phìob

Feminine Nominative Singular Answers
Exercise 9

1. Tha a' chaileag trang ag obair
2. Chan eil a' cholaiste math
3. Thuirt e gu bheil an iris dona
4. Chuala mi gu bheil an sgoil dùinte

Past Tense of the Verb 'to be' Answers

Exercise 1

1. Bha am balach an seo.
2. Ach bha Gòrdan glè thrang ag obair.
3. Bha leabhar agus peann air a' bhòrd.
4. Cha robh mi toilichte.
5. Bha an tidsear math.
6. Càit an robh thu ag obair?
7. An robh thu ag obair ann an oifis mhòr?
8. Ciamar a bha an aimsir?
9. Bha an oifis air sràid mhòr.
10. Bha Gòrdan ag ithe aran agus ag òl uisge.

Past Tense of the Verb 'to be' Answers
Exercise 2

1. Bha mi a' tighinn dhachaigh an-dè.
2. Bha i aig an taigh fad an latha.
3. Bha am biadh math.
4. An robh an doras fosgailte fad an latha an-dè?
5. An robh am balach [or: an gille] aig an taigh an-diugh?
6. Thuirt Tormod gun robh e sgìth feasgar an-dè.
7. Chuala mi gun robh Màiri ag ithe aran aig an taigh.
8. An robh i ag iarraidh iris?
9. Càit an robh am baga?
10. An robh thu ag ithe biadh fad an latha?

Past Tense of the Verb 'to be' Answers
Exercise 3

1. Cha robh Mòrag trang.
2. Cha robh mi trang.
3. Cha robh thu trang.

4. Cha robh e trang.
5. Cha robh i trang.
6. Cha robh sinn trang.
7. Cha robh sibh trang.
8. Cha robh iad trang.

Past Tense of the Verb 'to be' Answers
Exercise 4

1. Bha
2. Cha robh
3. Cha robh
4. Bha

Past Tense of the Verb 'to be' Answers
Exercise 5

1. Cha robh
2. Cha robh
3. Bha
4. Bha
5. Cha robh

Past Tense of the Verb 'to be' Answers
Exercise 6

1. Bha mi trang feasgar.
2. An robh Calum ag ithe biadh?
3. Cha robh Mairead toilichte an-diugh.
4. An robh thu ag òl uisge?
5. Cha robh i sgìth an-dè.
6. Bha Iain ag ithe aran.
7. Cha robh sinn a' tighinn dhachaigh.
8. An robh iad ag obair fad an latha?

Past Tense of the Verb 'to be' Answers
Exercise 7

1. Thuirt Calum nach robh e ag obair fad an latha an-dè .
2. Thuirt Ceiteag nach robh i brònach.
3. Chuala mi gun robh am balach a' leughadh feasgar.
4. Chuala sinn nach robh iad aig an taigh sa mhadainn.
5. An tuirt Ailig gun robh an t-sràid dùinte?
6. An tuirt Seonaidh nach robh Magaidh an seo?

Past Tense of the Verb 'to be' Answers
Exercise 8

1. The boy was eating bread today.
2. The girl is not tired but she is happy.
3. Iain said that he was drinking water yesterday.
4. I heard that it/he is good.
5. Morag said that she is not sad.
6. I was reading all day.
7. The road is closed but the school is open.
8. Calum was not working yesterday.

Plurals, Possession and Imperatives answers

Exercise 1

1. caileagan
2. sràidean
3. oidhcheannan
4. cait
5. irisean
6. oifisean
7. balaich
8. gillean
9. busaichean
10. bùird
11. uinneagan
12. oileanaich

If you have written any different answers, feel free to check with some dictionaries: you may have come across an acceptable alternative. This applies to Exercise 2, as well.

Plurals, Possession and Imperatives answers
Exercise 2

1. Na radain
2. Na pinn
3. Na cànanan
4. Na h-uinneagan
5. Na balaich
6. Na gillean (5 and 6 are, of course, interchangeable)
7. Na caileagan
8. Na h-irisean

Plurals, Possession and Imperatives answers
Exercise 3

1. Tha cait aig Màiri
2. Tha peann aig Eilidh
3. Tha iris aig Iain
4. Tha oifis aig Seonag
5. Tha leabhar aig Seonaidh
6. Tha taigh aig Barabal
7. Tha obair aig Tòmas
8. Tha baga aig Ceit

Plurals, Possession and Imperatives answers
Exercise 4

1. Chan eil cù aig Sìne
2. Chan eil bràthair aig Somhairle
3. Chan eil cathair aig Oighrig
4. Chan eil bòrd aig Eilidh
5. Chan eil aran aig Greum
6. Chan eile uisge aig Teàrlach
7. Chan eil biadh aig Ciorstaidh
8. Chan eil coineanach aig Eachann

Plurals, Possession and Imperatives answers
Exercise 5

1. A bheil cat aig Seònaid?
2. A bheil gàrradh aig Ruaraidh?
3. A bheil peann aig Catrìona?
4. A bheil leabaidh aig Eòghann?
5. A bheil feòil aig Dòmhnall?
6. A bheil còta aig Beathag

7. A bheil clann aig Magaidh?
8. A bheil fòn aig Ailean?

Plurals, Possession and Imperatives answers
Exercise 6

1. A bheil piuthar aig Sìle?
2. Tha baga aig Donnchadh
3. Tha pàipear aig Ìomhar
4. Chan eil biadh aig Cairistìona
5. Tha leabhar aig Cailean
6. A bheil càr aig Dàibhidh?
7. A bheil caraid aig Ùna?
8. Tha taigh aig Alasdair

Plurals, Possession and Imperatives answers
Exercise 7

1. Tha peann agam
2. Tha peann agad
3. Tha peann aige
4. Tha peann aice
5. Tha peann againn
6. Tha peann agaibh
7. Tha peann aca

Plurals, Possession and Imperatives answers
Exercise 8

1. Chan eil peann aig Mairead.

2. A bheil cat aice?
3. A bheil coineanach agaibh?
4. Thuirt Iain gu bheil cù aige.
5. Tha bòrd agam.
6. Chuala mi nach eil leabar aig Tormod.

Plurals, Possession and Imperatives answers
Exercise 9

1. Chan eil leabaidh agam
2. Chan eil oifis agad
3. Chan eil taigh aige
4. Chan eil cat aice
5. Chan eil baga againn
6. Chan eil iris agaibh
7. Chan eil aran aca

Plurals, Possession and Imperatives answers
Exercise 10

1. Tog an leabhar
2. Cuir an litir
3. Fosgail an doras
4. Ith am biadh
5. Fuirich an seo
6. Coisich dhachaigh
7. Leugh an iris
8. Sgrìobh an litir

Plurals, Possession and Imperatives answers
Exercise 11

1. agam
2. agad
3. aige
4. aice
5. againn
6. agaibh
7. aca

Masculine Dative Singular Answers

1. Anns an taigh mhòr
2. Ris a' chù thoilichte
3. Leis an aran mhath
4. Don ghàirdean bheag
5. Bhon oilthigh ùr
6. Mun ìm bhlasta
7. Tron bhiadh ghrod
8. Leis an dath dhorcha
9. Air an each òg
10. Às an leabhar fhosgailte

Masculine Dative Singular Answers
Exercise 2

1. Air an rathad
2. Leis an fhear
3. Don bhràthair / ris a' bhràthair
4. Anns a' bhiadh
5. Mun chat
6. Aig an taigh
7. Bhon bhalach / bhon ghille
8. Aig an oileanach

Masculine Dative Singular Answers
Exercise 3

1. Bha an cat a' coiseachd bhon taigh.
2. Tha Ruaraidh ag obair anns an oilthigh mhòr.
3. Bha Mairead a' bruidhinn ris a' bhalach sgìth.
4. Tha an leabhar a' tighinn às a' bhaga.

5. Tha am peann fon bhòrd.
6. Tha an cù beag aig an doras mhòr.
7. Chan eil an t-ìm air an aran bhlasta.
8. Chuala mi gun robh Màiri a' bruidhinn mun chuspair.
9. An robh a' chaileag a' dol tron ghàrradh?
10. Bha mi toilichte ag obair leis an fhear ghasta.

Masculine Dative Singular Answers
Exercise 4

1. Chan eil Màiri ag obair anns an oilthigh.
2. An robh iad a' tighinn bhon taigh?
3. Thuirt Iain gu bheil e a' dol don sgoil.
4. Bha na caileagan an seo anns a' mhadainn.
5. Cha robh i a' fuireach aig an taigh.
6. Tha Seonag a' bruidhinn ris an tidsear.
7. A bheil thu a' sgrìobhadh leis a' pheann agam?
8. Chuala mi gu bheil i às an Eilean Sgiathanach.
9. Tha am fear aig an doras.
10. Bha am baga fon bhòrd.

Masculine Dative Singular Answers
Exercise 5

1. Tha leabhar beag aig a' bhoireannach bhrèagha.
2. Cha robh pinn air a' bhòrd an-dè, ach tha an-diugh.
3. Chuala mi na balaich a' tighinn a-mach às a' ghàrradh.
4. A bheil aran anns a' chidsin?
5. Thuirt Donnchadh gun robh e ag obair anns a' bhùth.
6. Bha mi ag obair aig an taigh fad an latha an-diugh.
7. Tha an leabhar aig Eilidh fon bhòrd, ach bha e sa bhaga an-dè.
8. Tha mi a' dol don leabaidh oir tha mi glè sgìth.
9. Cha robh Ceit a' sgrìobhadh leis a' pheann ghorm.
10. An robh Calum a' bruidhinn ris a' ghille an-diugh?

Masculine Dative Singular Answers
Exercise 6

1. Tha an t-aran sa chidsin mhòr. [instead of **sa**, you could write **anns a'**]
2. Tha an càr dearg air an rathad.
3. Tha boireannach òg aig an doras.
4. An robh na balaich a' bruidhinn ris a' bhoireannach?
5. Chan eil na faclan san leabhar bheag. [instead of **san**, you could write **anns an**]
6. Thuirt Tormod gun robh e a' dol don oilthigh.
7. A bheil iad fon bhaga?
8. Chuala mi i tron doras / Chuala mi tron doras i.
9. Tha sinn a' ceannach pinn air an eadar-lìon.
10. Tha na cupannan a' tuiteam bhon phreas.

Masculine Dative Singular Answers
Exercise 7

Bha Sorcha ag iarraidh **leabhar**. Thuirt Mairead gun robh **leabhar** air **an t-sèithear**. Ach cha robh: bha **an leabhar** anns **a' phreas**.

Bha an t-acras air Calum. Bha e ag iarraidh **aran**. Cha robh **aran** aige. An robh **aran** anns **a' bhùth**? Cha robh.

Bha am pathadh air Màiri. Bha i ag iarraidh cupa **cofaidh**. Bha **cofaidh** aice anns an **t-seòmar**.

Bha boireannach ag obair leis **a' chù** mhòr fad an latha. Bha i sgìth: bha i ag iarraidh suidhe air an **t-sèithear**.

Masculine Dative Singular Answers
Exercise 8

1. Leis an fhear
2. Don chàr
3. Às a' chidsin
4. Anns a'chupa / sa chupa
5. Mun eadar-lìon
6. Air a' bhocsa
7. Bhon phreas
8. Ris a' bhoireannach
9. Tron bhalla
10. Ron fheasgar

Masculine Dative Singular Answers
Exercise 9

1. There were three girls playing in the room / Three girls were playing in the room.
2. Morag is working at home in the morning, but she is going to the university in the afternoon.
3. The key was on the table yesterday, but it's not there now.
4. Were you in the garden?
5. There are no cups in the cupboard: are they in the kitchen at all?
6. I heard that on the radio.
7. Donald said to the boy that he was going home.
8. The words are on the wall.

Masculine Dative Singular Answers
Exercise 10

aig – at
fo - under
tro - through
mu - about
do – to [movement]

ann - in
ri – to [abstract: speaking, listening]
ro - before
le - with
à – out of
de – of/off

Feminine Dative Singular Answers

Exercise 1

1. anns an oifis mhòir
2. fon chathair chofhurtail
3. ron mhadainn ghrianaich
4. leis an fheòil bhlasta
5. bhon t-sràid fharsaing
6. mun sgoil mhaith
7. às an leabaidh bhlàith
8. air an iris inntinnich
9. anns a' Ghàidhlig fhileanta
10. den chairt bhrèagha

Feminine Dative Singular Answers

Exercise 2

1. anns an oidhche
2. don oifis
3. às an eaglais
4. mun litir
5. bhon chèilidh
6. leis an fhreagairt
7. tron uinneig
8. air an leabaidh
9. aig a' cholaiste
10. den t-sròin

Feminine Dative Singular Answers

Exercise 3

1. Bha an cù a' ruith bhon oifis bhig.
2. An robh Màiri ag obair anns a' mhadainn fhuair?

3. Tha mi a' leughadh rudeigin air a' chairt bhrèagha.
4. Bha an t-eun ag itealaich tron uinneig fhosgailte.
5. Chuala mi fuaim a' tighinn bhon eaglais shaoir.
6. Chuala mi mun sgeulachd mhaith.
7. A bheil e ag obair air an t-sràid àird?
8. Cha robh mi a' cadal anns an leabaidh chofhurtail.
9. Thuirt Mìchel gun robh e a' bruidhinn ris a' chaileig mhòir.
10. Tha an leabhar air a' chathair bhuidhe.

Feminine Dative Singular Answers
Exercise 4

1. Bha Teàrlach a' bruidhinn mun naidheachd
2. Tha na nigheanan a' dèanamh lagh anns a' cholaiste
3. Cha toil leam an còmhdach air an iris
4. Bha Seonaidh a' ruith às an sgoil
5. Tha deòir a' tighinn don t-sùil
6. Thuirt Ailean gu bheil e math air an fheadaig
7. Tha am peann fon litir
8. Bha mi a' ruith leis a' chabhaig

Feminine Dative Singular Answers
Exercise 5

1. Bha Mairead a' tighinn às an oifis bhig.
2. A bheil thu a' dol don chèilidh mhòir aig deireadh na seachdain?
3. Thuirt mi gu bheil mi a' dol don leabaidh.
4. Tha na balaich anns an sgoil mhaith.
5. Chuala mi i a' cluich air an fheadaig ùir.
6. Chan eil na nigheanan a' dèanamh lagh anns a' cholaiste mhòir.
7. Thuirt Donnchadh gu bheil guirean aige air an t-sròin.
8. Bha e a' tomhadh ris leis a' chorraig fhada.
9. An robh iad a' coiseachd tron ghainmhich?

10. Bha mi a' sgrìobhadh air an duilleig bhàin.

Feminine Dative Singular Answers
Exercise 6

1. Tha am peann san oifis bhig.
2. Bha na faclan air an litir bhig.
3. Tha an fhuaim sa chluais.
4. A bheil a' chas sa bhròig dhuinn? [note: if you wrote *dhoinn* here, this is to be expected; later in the course, you will see that the letter 'o' tends to turn into 'u' when it is slenderised]
5. Bha na dealbhan san iris ùir.
6. Bha Mairead san leabaidh mhòir.
7. A bheil rudeigin san t-sùil?
8. An robh e a' suidhe air a' chathair?
9. Bha na càraichean air an t-sràid.
10. Bha iad a' tighinn (a-mach) às an eaglais / bha iad a' tighinn bhon eaglais. [it is more normal to add *a-mach* if you were using *às* here]

Feminine Dative Singular Answers
Exercise 7

1. 'S e am balach a tha anns an leabaidh bhig.
2. An robh Iain anns a' cholaiste mhòir?
3. 'S e dealbh brèagha a bha anns an iris ùir.
4. Chan eil am fear ag obair anns an sgoil seo.
5. A bheil faclan anns an sgeulachd mhaith?
6. 'S e àite mòr a tha anns a' cholaiste.
7. Chan eil am facal sin anns a' Ghàidhlig.
8. An e seinneadair math a tha anns a' chaileig bhig?

Feminine Dative Singular Answers
Exercise 8

1. Tron ghainmhich
2. Ron litir
3. Air a' chairt
4. Bhon oifis
5. Às an t-sròin
6. Den Ghàidhlig
7. Mun t-seachdain
8. Ris a' chaileig
9. Fon t-sùil
10. Leis a' chorraig

Feminine Dative Singular Answers
Exercise 9

1. I was working on the little magazine in the new office.
2. Jean said that that was on the page.
3. I think that the cat is on the white chair.
4. Iain wasn't in the bed all day.
5. Was Norman busy in the morning?
6. The boys aren't working through the long day.
7. What's coming out of the little ear?
8. Morag was playing a tune on the yellow whistle.
9. Do you understand that from the answer?
10. The police are on the way.

Feminine Dative Singular Answers
Exercise 10

1. An cù aig Mairead
2. An dealbh aig Iain
3. A' chas aig Tormod
4. An fheadag aig Sìne

5. An cofaidh aig Ailean
6. An leabhar aig Coinneach
7. Am peann aig Cailean
8. An taigh aig Mòrag
9. An sgoil aig Seonag
10. An càr aig Eachann

The Past Tense Answers

Exercise 1

1. Dh'òl Tormod am botal uisge-beatha air fad.
2. Dh'fhuirich Màiri ann an Glaschu airson dà bhliadhna.
3. Bhruidhinn Ceitidh ris a' bhalach air an t-sràid.
4. Sgrìobh e litir gu a charaid an-dè.
5. Chuir mi an leabhar air a' bhòrd.
6. Cheannaich Marsaili ad nuair a bha i ann an Sealainn Nuadh.
7. Dhanns Calum agus Seonag aig a' chèilidh.
8. Shnàmh iad anns a' mhuir.
9. Pheant Domhnall dealbh brèagha an t-seachdain seo chaidh.
10. Smaoinich i gun robh an dreasa a' coimhead àlainn.

The Past Tense Answers

Exercise 2

1. Cha do dh'èist sinn ris an rèidio feasgar an-dè.
2. Cha do leugh Mòrag an leabhar sin a' mhìos seo chaidh.
3. Cha do sheinn na caileagan na pìoban a' bhòn-dè.
4. Cha do reic Donnchadh an càr aige fhathast.
5. Cha do sgioblaich Oighrig an seòmar aice idir.
6. Cha do fhreagair an tidsear a' cheist a chuir mi.
7. Cha do ghabh mi deoch ged a bha am pathadh orm.
8. Cha do chluich a' chlann aig an sgoil.
9. Cha do thachair mòran an t-seachdain seo.
10. Cha do cheannaich Iain an iris oir cha robh airgead aige.

The Past Tense Answers

Exercise 3

1. An do dh'òl Peadar an leann a bha anns a' chidsin?
2. An do sgrìobh Teàrlach an leabhar math?
3. An do dh'ith thu an lite a bha anns a' phreas?

4. An do thog iad dealbh leis a' chamara?
5. An do dh'fhuirich sinn ann an Ìle nuair a bha mi òg?
6. An do choimhead thu air an iris ùir fhathast?
7. An do shiubhail na balaich fada?
8. An do ghabh thu grèim bìdh anns a' chafaidh?
9. An do dh'fhalbh Eilidh dhachaigh aig deireadh na seachdain?
10. An do fhliuch Eanraig an còta a dh'aona ghnothaich?

The Past Tense Answers
Exercise 4

1. Thuirt Seonag gun do bhruidhinn i ri Mòrag an-dè.
2. Chuala mi nach do sgrìobh Raibeart aiste san sgoil bhig.
3. Tha Donnchadh ag ràdh nach do ghabh e deoch feasgar Dihaoine.
4. Thuirt thu gun do leugh thu an litir nuair a dh'fhaighnich mi.
5. Thuirt Eachann gun do dh'òl e uisge nuair a bha am pathadh air.
6. Chuala Màiri gun do thog a' chomhairle taighean ùra sa bhaile am-bliadhna.
7. Tha am fear ag ràdh nach do dh'fhalbh am bus gus ochd sa mhadainn.
8. Chuala mi gun do sheinn an nighean fad an latha an-dè.
9. Thuirt Anndra nach do dh'èist e ris an rèidio.
10. Thuirt Eilidh nach do reic i an càr fhathast.

The Past Tense Answers
Exercise 5

1. I wrote a letter to Donald, but I heard that he didn't read it.
2. I lived in Dundee until this year, and I live in Aberdeen now.
3. I heard that Martin didn't eat the haggis, although he was hungry.
4. I spoke to Calum last week, but I didn't speak to him yet today.
5. Did you open the door in the morning, or did you leave it closed?
6. Barbara said that she ate the bread, but that she didn't put jam on the bread at all.

7. I swam often when I was young, but I haven't swum at all for a year or two.
8. I thought you were busy, but you aren't working at all!
9. Iain said that he lit the fire, but it's still cold.
10. We had a meal in the morning, but I'm hungry again already.

The Past Tense Answers
Exercise 6

Give the Gaelic for:

1. Sgrìobh mi litir an-diugh sa mhadainn.
2. Dh'òl sinn an t-uisge às an abhainn.
3. Bhruidhinn thu ri Tormod an-dè.
4. An do ruith iad dhachaigh?
5. Cha do dh'ith i an t-aran fhathast.
6. Cheannaich sibh trì bagaichean aig a' bhùth.
7. Tha mi a' smaoineachadh gun do dh'fhuirich Màiri ann an Sruighlea nuair a bha i òg.
8. Thuirt mi gun do pheant mi an taigh an t-seachdain seo chaidh.
9. Thog Deòrsa taigh air a' mhòintich.
10. Shiubhail e fad an latha, ach chan eil e an seo fhathast.

The Past Tense Answers
Exercise 7

1. Smaoinich mi gun robh i bòidheach.
2. Ruith na balaich air a' mhòintich.
3. Sgrìobh Sìle don chomhairle mun ùpraid.
4. An do dh'fhalbh Eòghann dhachaigh?
5. An do cheannaich sibh bainne sa bhùth ùr?
6. Cha do bhruidhinn Greum ri Mìchel tuilleadh.
7. Thuirt thu gun do choimhead thu air an telebhisean.

8.   Chuala mi nach do reic thu bainne tuilleadh sa bhùth seo.
9.   Dh'fhosgail iad uinneagan anns a' bhaile.
10. Cha do dhùin iad uinneagan anns a' bhaile.

The Past Tense Answers
Exercise 8

Here is an example of what you could have written, but please ask a fluent speaker to check your version if it is very different:

Dh'èirich Calum aig seachd sa mhadainn an-dè. Chuir e aodach air, nigh e, agus bhruis e fhiaclan. Ghabh e bracaist sa chidsin bheag: dh'òl e cofaidh agus dh'ith e tòst le ìm agus silidh. Dh'fhosgail e na litrichean a bha aig an doras. Dh'fhalbh e a-mach. Chaill e am bus: mar sin, ruith e don cholaiste. Cha robh duine eile ann. Cha do thuig e an toiseach, ach an uairsin bha cuimhne aige: 's e Disathairne a bh' ann!

The Past Tense Answers
Exercise 9

1.   Dh'ith.
2.   Cha do ruith.
3.   Bhruidhinn.
4.   Cheannaich.
5.   Cha do dh'fhalbh.
6.   Cha do fhreagair.
7.   Dhùin.
8.   Cha do thog.
9.   Shiubhail.
10. Cha do shnàmh.

Emphatic Pronouns and Prepositional Pronoun Answers

Exercise 1

1. Bha ise san sgoil ach bha esan aig an taigh.
2. Sgrìobh thusa litir ged a bha iadsan an seo.
3. Is sibhse a bhruidhinn ach is mise a dh'ith.
4. Cha robh thusa ag obair ach bha sinne gu math trang.
5. Tha mise toilichte ach tha ise brònach.
6. An iadsan a leugh an leabhar no an tusa a leugh an leabhar?

Emphatic Pronouns and Prepositional Pronoun Answers
Exercise 2

1. Bha Niall aig an taigh fad na h-oidhche, ach cha chuala esan an fhuaim.
2. An tusa a sgrìobh an litir mun bhalach?
3. Cò tha siud? Siud? O, is esan an tidsear agam.
4. Chan eil Alasdair idir nas àirde na mise.
5. Tha mi an dòchas nach eil iadsan a' tighinn a-rithist!
6. "Cuir air an coire," ars ise.
7. Sgrìobh na fir litrichean thugainn, ach cha do leugh sinne iad.
8. Is mise an t-òraidiche ùr.
9. Tha iadsan nas àirde na sibhse.
10. Chan esan as lugha san sgoil air fad.

Emphatic Pronouns and Prepositional Pronoun Answers
Exercise 3

1. agam
2. agad
3. aige
4. aice
5. againn
6. agaibh
7. aca

Emphatic Pronouns and Prepositional Pronoun Answers
Exercise 4

1. 'S e Donaidh an t-ainm a th' orm.
2. 'S e Gòrdan an t-ainm a th' air.
3. 'S e Màiri an t-ainm a th' oirre.
4. 'S e Iain agus Donnchadh na h-ainmean a th' oirnn / 'S iad Iain agus Donnchadh na h-ainmean a th' oirnn.
5. 'S e Tormod is Niall na h-ainmean a th' orra / 'S iad Tormod is Niall na h-ainmean a th' orra.
6. 'S e Beathag an t-ainm a th' ort.

Emphatic Pronouns and Prepositional Pronoun Answers
Exercise 5

1. Cha robh mise ag obair faisg oirre san leabharlann, ach bha Niall.
2. An tusa a rinn a' chèic a dh'ith ise aig àm bìdh an-dè?
3. Shuidh Dùghall faisg ort air a' bhus. Ach cha do mhothaich thusa.
4. Rinn mise an obair-dhachaigh, agus bha esan faisg orm: is dòcha gun d' rinn e lethbhreac den obair a rinn mise.
5. Bha na nigheanan faisg orra fad an latha.
6. Bha sinne ag obair faisg air a-raoir.

Emphatic Pronouns and Prepositional Pronoun Answers
Exercise 6

1. I was working in the office yesterday morning, but he wasn't.
2. She didn't speak to the teacher although she was close to him all day.
3. Michael said that he did the work, but I didn't see it.
4. I have the cold now, but you are ok.
5. Anna started driving down the street, but they were walking on the road.
6. Did you drink this whisky yet?
7. The teacher didn't answer when I asked him a question, but he answered you.
8. Is it true that we were near her all day?
9. Calum was working near me but I didn't notice.

10. Is her name Joanne?

Emphatic Pronouns and Prepositional Pronoun Answers
Exercise 7

1. Ruith ise dhachaigh, ach cha do ruith esan.
2. Bhruidhinn sinn ris a' bhoireannach a-raoir, ach bha ise trang.
3. Tha an cat faisg air an uinneig agus tha an cù faisg ort.
4. Rinn Magaidh cèic agus chuir i teòclaid oirre.
5. An do shuidh thusa faisg oirre air a' bhus?
6. Chunnaic mi gun do chuir thu am bòrd sa chidsin agus gu bheil truinnsear air.
7. Bhruidhinn mise ris na balaich an-dè agus thuirt iad gu bheil an cnatan orra.
8. An do dh'fhosgail Iain an litir a bha san t-seòmar-suidhe no an tusa a dh'fhosgail i?

Emphatic Pronouns and Prepositional Pronoun Answers
Exercise 8

1. aige
2. air
3. faisg orra
4. againn
5. faisg oirbh
6. agam
7. orra
8. orm
9. faisge oirre
10. aice
11. faisg oirnn
12. ort

Emphatic Pronouns and Prepositional Pronoun Answers

1. Tha fearg air
2. Tha an cnatan oirre
3. 'S e oileanach a th' ann
4. Tha leabhar agam
5. Tha an t-acras oirnn
6. 'S e oileanach a th' innte
7. Tha an cnatan ort
8. Tha càraichean agaibh
9. 'S e oileanaich a th' annta
10. Tha am pathadh ort

Future Tense of the Verb 'to be' Answers

Exercise 1

1. Am bi thu aig a' chèilidh sa bhaile an t-seachdain seo?
2. Cha bhi na balaich san sgoil a-màireach oir tha an cnatan orra.
3. Bidh Mairead ag obair san oifis fad an latha.
4. Thuirt Iain gum bi e trang an-diugh.
5. Cuin a bhios sinn a' dol dhachaigh?
6. Càit am bi iad feasgar a-màireach?
7. Tha mi an dòchas nach bi Mòrag ro thrang.
8. Bidh Raonaid an seo a-rithist sa mhadainn.
9. Cò bhios a' siubhal air a' Ghàidhealtachd sna làithean-saora?
10. 'S e Tormod a bhios air a' bhus, tha mi a' smaoineachadh.

Future Tense of the Verb 'to be' Answers
Exercise 2

1. Bidh sinn anns an taigh-seinnse Oidhche Haoine.
2. Am bi thu fhèin ann cuideachd?
3. Cha bhi, oir bidh mi ro thrang: tha cus agam ri dhèanamh.
4. Cò bhios ann mar sin?
5. Chan eil fhios agam ach tha fhios agam nach bi Anna ann.
6. Bidh ise ag obair anns an leabharlann Oidhche Haoine: dh'innis i dhomh.
7. Cuin a bhios i deiseil?
8. Thuirt i nach bi i deiseil gus deich.
9. Tha sin fadalach: bidh i glè sgìth.
10. Tha mi a' smaoineachadh gum bi mise sgìth cuideachd.

Future Tense of the Verb 'to be' Answers
Exercise 3

1. Am bi e ag obair aig a' chladach a-màireach?
2. Bidh na càraichean trang air an rathad Diluain.

3. Cha bhi Catrìona ag òl uisge-beatha san taigh-seinnse.
4. Bidh na balaich a' suidhe air a' bhòrd san sgoil.
5. Chuala mi gum bi Iain a' cluich aig a' chèilidh.
6. Am bi Greum aig an taigh Disathairne?
7. Chuala i nach bi Mairead ag obair gu cruaidh fad an latha / Chuala Mairead nach bi i ag obair gu cruaidh fad an latha.
8. Cha bhi thu toilichte nuair a bhios am biadh uile deiseil.
9. Am bi Sìle a' coiseachd air an tràigh Diardaoin?
10. Bidh tu a' leabhadh leabhair nuair a bhios tu aig an taigh.

Future Tense of the Verb 'to be' Answers
Exercise 4

1. Cha bhi Ceit a' sgrìobhadh litir aig a' bhòrd.
2. Am bi thu ag ithe cèic a-rithist?
3. Bidh mi sgìth an dèidh a bhith aig a' chèilidh.
4. Thuirt Tormod gum bi e trang san oifis.
5. Am bi Anna a' bruidhinn ris a' bhoireannach eile?
6. Chuala mi nach bi sibh a' siubhal air a' bhàta.
7. Bidh iad glè thoilichte oir bidh iad a' dol don taigh-seinnse.
8. Cha bhi Màiri a' sealltainn air an telebhisean.
9. Cò bhios a' togail taigh air a' mhòintich?
10. Càit am bi Calum a' dol?

Future Tense of the Verb 'to be' Answers
Exercise 5

1. Bidh na balaich a' cluich rugbaidh sa phàirc Disathairne.
2. Bidh Pòl ag iarraidh faicinn cò bhios a' dràibheadh a' bhus.
3. Am bi Eachann aig a' cholaiste Diluain?
4. Càit am bi na caileagan nuair a bhios tusa aig an taigh?
5. Thuirt Anndra gum bi e toilichte leis an duais.
6. Cha bhi sibhse trang sa mhadainn.

7. Thuirt iad gum bi iad air a' bhàta.
8. Bidh Dòmhnall ag ràdh nach bi e sgìth.
9. Am bi sinn a' bruidhinn ris an duine?
10. Cha bhi na leabhraichean anns an leabharlann.

Future Tense of the Verb 'to be' Answers
Exercise 6

1. A bheil thu ag obair sa cholaiste a-nis?
   Tha
2. An do sgrìobh thu an leabhar seo?
   Cha do sgrìobh
3. Am bi thu a' siubhal don Spàinn air a' mhìos seo?
   Cha bhi
4. An do rinn thu cèic an-dè?
   Rinn
5. Am bi Mairead aig an taigh nuair a bhios mise san sgoil?
   Bidh
6. An e sin an duine a rinn a dhìcheall?
   'S e

Future Tense of the Verb 'to be' Answers
Exercise 7

1. Bidh iad an seo an-ath-sheachdain.
2. Cuin a bhios i a' sgrìobhadh litir?
3. Càit am bi iad a' cumail càise?
4. Cò bhios ag ithe biadh an-diugh?
5. Cha bhi e air an rathad a-màireach.
6. Thuirt i gum bi i trang.
7. Chuala mi gum bi thu ag èisteachd.
8. Bidh mi ag òl fad an latha.
9. Tha mi a' smaoineachadh gum bi e fadalach.

10. Am bi sinn a' falbh dhachaigh a-nis?

Future Tense of the Verb 'to be' Answers
Exercise 8

1. Cò *bhios* a' snàmh anns an abhainn a-màireach?
2. Am *bi* thu a' gabhail deoch san taigh-seinnse Dihaoine?
3. *Bidh* mi a' coimhead air a' phrògram sin air an telebhisean.
4. Cha *bhi* esan a' falbh fhathast.
5. Nuair a *bhios* sin a' tachairt, *bidh* e math.
6. Am *bi* Màiri a' peantadh an taigh?
7. Cuin a *bhios* sibh a' sgioblachadh an rùm?
8. Cha *bhi* na caileagan a' danns aig a' chèilidh.
9. *Bidh* mi a' freagairt ma *bhios* a' cheist ciallach.
10. Càit *am bi* sibh a' fuireach an-ath-bhliadhna?

Future Tense of the Verb 'to be' Answers
Exercise 9

1. Diluain
2. Dimàirt
3. Diciadain
4. Diardaoin
5. Dihaoine
6. Disathairne
7. Latha na Sàbaid; Didòmhnaich

Future Tense of the Verb 'to be' Answers
Exercise 10

1. dha
2. dhuinn
3. dhomh
4. dhuibh
5. dhi

Negative Question Answers

Exercise 1

1. Nach do sgrìobh thu an litir fhathast?
2. Nach bi thu aig an taigh a-màireach?
3. Nach e cù mòr a th' ann?
4. Nach eil na nigheanan trang aig an sgoil?
5. Nach do cheannaich sinn aran sa bhùth?
6. Nach do ghabh Seonag deoch san taigh-seinnse a-raoir?
7. Nach robh i toilichte leis an duais?
8. Nach do dh'ith Donnchadh a' chèic?

Negative Question Answers

Exercise 2

1. Dh'obraich.
2. Bha.
3. Cha do dh'ith
4. Chan eil.
5. Cha robh.
6. Sgrìobh.
7. Chuir.
8. Cha do sgioblaich.
9. Fhreagair.
10. Chan e.

Negative Question Answers

Exercise 3

1. bhuam
2. bhuat
3. bhuaithe
4. bhuaipe
5. bhuainn
6. bhuaibh
7. bhuapa

More on Verbs Answers

Exercise 1

1. ceannaich, ceannachd
   a' ceannachd; ceannaich!

2. tachairt, tachair
   a' tachairt; tachair!

3. tog, togail
   a' togail; tog!

4. suidh, suidhe
   a' suidhe; suidh!

5. èisteachd, èist
   ag èisteachd; èist!

6. freagair, freagairt
   a' freagairt; freagair!

7. dràibh, dràibheadh
   a' dràibheadh; dràibh!

8. gabh, gabhail
   a' gabhail; gabh!

9. leughadh, leugh
   a' leughadh; leugh!

10. sgioblaich, sgioblachadh
    a' sgioblachadh; sgioblaich!

More on Verbs Answers
Exercise 2

1. The church is over there. [tha]
2. It is rainy today. [tha]
3. He is the biggest. [is]
4. This is the cat. [is]
5. That dog is very big. [tha]
6. We are very happy now. [tha]
7. George is the minister. [is]
8. Canada is my favourite country. [is]
9. I'm too busy! [tha]
10. They are not the students. [is]

More on Verbs Answers
Exercise 3

1.

an do dh'òl?	dh'òl
cha do dh'òl	
gun do dh'òl	
nach do dh'òl	

2.

an do cheannaich?	cheannaich
cha do cheannaich	

gun do cheannaich	
nach do cheannaich	

3.

an do fhreagair?	fhreagair
cha do fhreagair	
gun do fhreagair	
nach do fhreagair	

4.

an do dh'fhaighnich?	dh'fhaighnich
cha do dh'fhaighnich	
gun do dh'fhaighnich	
nach do dh'fhaighnich	

More on Verbs Answers
Exercise 4

1. An do fhreagair i a' cheist?

   fhreagair; cha do fhreagair

2. Am bi thu ag obair Disathairne an t-seachdain seo?

   bidh; cha bhi

3. An do sgrìobh thu an litir sin?

   sgrìobh; cha do sgrìobh

4. An e Calum a tha a' dràibheadh an-diugh?

   's e; chan e

5. A bheil thu trang an-dràsta?

   Tha; chan eil

6. Nach do dh'fhosgail sinn an doras mar-thà?

   dh'fhosgail; cha do dh'fhosgail

7. An d' rinn thu biadh?

   rinn; cha d' rinn

8. An cuala Niall an ceòl a-raoir?

   chuala; cha chuala

9. Nach fhaca tu an telebhisean sa mhadainn an-diugh?

   chunnaic; chan fhaca

10. An robh sibh sgìth an dèidh na cèilidh Oidhche Haoine?

    bha; cha robh

More on Verbs Answers
Exercise 5

Bhruidhinn mi ri Calum aig a' cholaiste an-dè. Thuirt e gun do sgrìobh e aiste

airson Gearmailtis, ach cha robh e toilichte leatha. Bha e a' smaoineachadh gun d'
rinn e mearachdan innte. Ach, chuala mi nach do sgrìobh Anna aiste idir: tha sin
dona, nach eil! Dh'fhuirich mi aig a' cholaiste airson biadh. Tha taigh-bìdh math
ann. Dh'ith mi gu leòr, ach cha do dh'òl mi càil, oir chan eil deochannan math aca,
agus cha toil leam uisge. Thog mi na leabhraichean agam, agus dh'fhalbh mi dhan
bhùth-leabhraichean san t-Sràid Mhòir. Cheannaich mi faclair ùr, ach cha do
cheannaich mi pinn, oir tha gu leòr pinn agam. Leugh mi an leabhar ùr air a' bhus,
nuair a bha mi a' tighinn dhachaigh.

More on Verbs Answers
Exercise 6

1. leam
2. leat
3. leis
4. leatha
5. leinn
6. leibh
7. leotha

More on Verbs Answers
Exercise 7

Dh'èist mi ri Calum aig a' cholaiste an-dè. Chuala mi gun do leugh Anna aiste
airson Gearmailtis, agus bha i toilichte leatha. Cha robh Calum a' smaoineachadh
gun robh mearachdan innte. Ach, smaoinich mi gun do sgrìobh Anna an aiste i
fhèin: chan eil sin dona, a bheil! Bha mi aig a' cholaiste airson biadh. Tha taigh-

bìdh math ann. Dh'òl mi gu leòr, ach cha do dh'ith mi càil, oir tha deochannan math aca, agus ghabh Anna uisge. Cheannaich mi na leabhraichean sa bhùth-leabhraichean san t-Sràid Mhòir. Bha mi ag iarraidh faclair ùr agus pinn, ach cha robh pinn ann. Dh'fhosgail mi an leabhar ùr air a' bhus, ach cha do leugh mi e.

More on Verbs Answers
Exercise 8

1. Na ceannaich an leabhar sin.
2. Fosgail an uinneag.
3. Tog an cat.
4. Na dùin an doras.
5. Ith a' chèic.
6. Leugh an litir.
7. Òl uisge.
8. Èist ri Iain.
9. Cluich ball-coise.
10. Snàmh air ais.

More on Verbs Answers
Exercise 9

1. Cha do dh'fhosgail mi an doras ach bha e fosgailte co-dhiù.
2. Thuirt Màiri gun robh i trang fad an latha an-dè.
3. An do ruith thu dhachaigh?
4. Shnàmh sinn Dimàirt, ach cha do shnàmh Diciadain.
5. Tha mi a' smaoineachadh gun do shuidh thu air a' chathair.

6. Cha do fhreagair an tidsear a' cheist.

7. Sgioblaich Peadar an taigh an-dè, ach tha e mì-sgiobalta a-rithist a-nis.

8. Chuala sinn nach do reic iad an càr.

9. An do sheinn i fhathast?

10. Shiubhail na balaich air a' bhàta.

More on Verbs Answers
Exercise 10

1. Dà cheud 's a h-aon
2. Trì cheud, dà fhichead 's a trì
3. Còig ceud
4. Dà cheud, ceithir fichead 's a naoi
5. Seachd ceud 's a trì fichead
6. Naoi ceud 's a dhà-dheug
7. Ochd ceud, lethcheud 's a còig
8. Ceithir ceud, fichead 's a h-aon
9. Còig ceud 's a h-ochd
10. Naoi ceud, ceithir fichead 's a naoi-deug

More on Verbs Answers
Exercise 11

1. leam
2. leat
3. leis
4. leatha
5. leinn
6. leibh
7. leotha

The Future Tense Answers

Exercise 1

1. Òlaidh Tormod am botal uisge-beatha air fad.
2. Fuirichidh Màiri ann an Glaschu airson dà bhliadhna.
3. Bruidhnidh Ceitidh ris a' bhalach air an t-sràid.
4. Sgrìobhaidh e litir gu a charaid a-màireach.
5. Cuiridh mi an leabhar air a' bhòrd.
6. Ceannaichidh Marsaili ad nuair a bhios i ann an Sealainn Nuadh.
7. Dannsaidh Calum agus Seonag aig a' chèilidh.
8. Snàmhaidh iad anns a' mhuir.
9. Peantaidh Dòmhnall dealbh brèagha an-ath-sheachdain.
10. Smaoinichidh i gum bi an dreasa a' coimhead àlainn.

The Future Tense Answers
Exercise 2

1. Chan èist sinn ris an rèidio feasgar a-màireach.
2. Cha leugh Mòrag an leabhar sin a' mhìos seo tighinn.
3. Cha seinn na caileagan na pìoban an-earar.
4. Cha reic Donnchadh an càr aige a-rithist.
5. Cha sgioblaich Oighrig an seòmar aice idir.
6. Cha fhreagair an tidsear a' cheist a chuir mi.
7. Cha ghabh mi deoch ged a bhios am pathadh orm.
8. Cha chluich a' chlann aig an sgoil.
9. Cha tachair mòran an t-seachdain seo.
10. Cha cheannaich Iain an iris oir cha bhi airgead aige.

The Future Tense Answers
Exercise 3

1. An òl Peadar an leann a bhios anns a' chidsin?
2. An sgrìobh Teàrlach an leabhar math?
3. An ith thu an lite a tha anns a' phreas?
4. An tog iad dealbh leis a' chamara?

5. Am fuirich sinn ann an Ìle nuair a bhios mi sean?
6. An coimhead thu air an iris ùir a-rithist?
7. An siubhail na balaich fada?
8. An gabh thu grèim bìdh anns a' chafaidh?
9. Am falbh Eilidh dhachaigh aig deireadh na seachdain?
10. Am fliuch Eanraig an còta a dh'aona ghnothaich?

The Future Tense Answers
Exercise 4

1. Thuirt Seonag gum bruidhinn i ri Mòrag a-màireach.
2. Chuala mi nach sgrìobh Raibeart aiste san sgoil bhig.
3. Tha Donnchadh ag ràdh nach gabh e deoch feasgar Dihaoine.
4. Thuirt thu gun leugh thu an litir nuair a dh'fhaighnich mi.
5. Thuirt Eachann gun òl e uisge nuair a bhios am pathadh air.
6. Chuala Màiri gun tog a' chomhairle taighean ùra sa bhaile am-bliadhna.
7. Tha am fear ag ràdh nach fhalbh am bus gus ochd sa mhadainn.
8. Chuala mi gun seinn an nighean fad an latha an-diugh.
9. Thuirt Anndra nach èist e ris an rèidio.
10. Thuirt Eilidh nach reic i an càr a-rithist.

The Future Tense Answers
Exercise 5

1. Will you write a letter in the morning?
2. How will I drink this?
3. I won't answer that.
4. Who will run in the college?
5. We will sit on the chairs.
6. I heard that they will build houses in the town this year.
7. Will we speak to Joan?
8. I'll read the book tomorrow.
9. He won't close the door because he is warm.
10. When will you go?

The Future Tense Answers
Exercise 6

1. Suidhidh mi air a' chathair.
2. An ith Dòmhnall a' chèic an-diugh?
3. Cò sgioblaicheas an taigh seo?
4. Cha choimhead mi air an telebhisean feasgar.
5. Cuin a dh'fhosglas sinn an uinneag?
6. Òlaidh mi uisge fad an latha.
7. Càit an cuir i am peann?
8. Chuala mi gun seinn thu a-nochd.
9. Am fuirich iad an seo?
10. Cha chluich iad.

The Future Tense Answers
Exercise 7

1. An tog thu am peann?
   Togaidh; cha tog
2. An cluich sinn an-diugh sa mhadainn?
   Cluichidh; cha chluich
3. An sgrìobh i an litir?
   Sgrìobhaidh; cha sgrìobh
4. Nach fosgail thu an uinneag?
   Fosglaidh/chan fhosgail [note the syncope of **fosglaidh**, where the middle syllable is truncated]
5. An ceannaich e na brògan?
   Ceannaichidh; cha cheannaich
6. Nach ith thu an t-aran?
   Ithidh; chan ith
7. An sgioblaich Iain an rùm?
   Sgioblaichidh; cha sgioblaich
8. Nach smaoinich thu a-rithist?
   Smaoinichidh; cha smaoinich
9. An dràibh iad dhachaigh?
   Dràibhidh; cha dhràibh
10. An èist thu rium?
    Èistidh; chan èist

Expressing Possession and Ownership Answers

Exercise 1

1. Tha leabhar aice
2. Tha cù aig Raibeart
3. Tha baga agad
4. Tha taigh againn
5. Tha biadh aca
6. Tha caraid aige
7. Tha bràthair agaibh
8. Tha iasg aig Sìne
9. Tha obair agam
10. Tha clann aca

Expressing Possession and Ownership Answers
Exercise 2

1. A bheil piuthar agad?
2. A bheil clann agaibh?
3. A bheil càr aige?
4. A bheil beachd agam?
5. A bheil pàipear-naidheachd aice?
6. A bheil cupa aig Màiri?
7. A bheil teaghlach aca?
8. A bheil cothrom againn?
9. A bheil airgead agad?
10. A bheil fòn aice?

Expressing Possession and Ownership Answers
Exercise 3

1. Chan eil sgot agad.
2. Chan eil lèine ùr aige.

3. Chan eil cù aig Raonaid.
4. Chan eil pàipear againn.
5. Chan eil uisge-beatha aca.
6. Chan eil bràthair agam.
7. Chan eil teòclaid agaibh.
8. Chan eil oifis aice.
9. Chan eil bàta aig Mòrag.
10. Chan eil ticead agam.

Expressing Possession and Ownership Answers
Exercise 4

1. Chuala mi gu bheil bàta aig Donnchadh.
2. Chuala mi gu bheil leabhar agam.
3. Chuala mi gu bheil caraid aig Seonag.
4. Chuala mi nach eil fòn agad.
5. Chuala mi gu bheil Gàidhlig aice.
6. Chuala mi nach eil aiste aige.
7. Chuala mi nach eil taigh-bìdh aca.
8. Chuala mi gu bheil còmhlan againn.
9. Chuala mi nach eil taigh-seinnse agaibh.
10. Chuala mi gu bheil cù aige.

Expressing Possession and Ownership Answers
Exercise 5

1. This house is Norman's.
2. The book is not mine.
3. The children are theirs.
4. Is the key yours?
5. I said that the cake is mine.
6. Isn't the pen his?
7. I heard that the red car is Margaret's.
8. I think that shirt is Thomas's.

9. Is this rabbit Elizabeth's?
10. The shoes are not ours.

Expressing Possession and Ownership Answers
Exercise 6

1. Tha peann aig Magaidh an-diugh ach 's ann le Anna a tha e.
2. Bha cù aig Donnchadh sa mhadainn an-diugh ach 's ann leamsa a tha e.
3. Bha seacaid aig Sìle a-raoir ach 's ann le Cairistìona a tha i.
4. Tha/Bha leabhar agad feasgar an-diugh ach 's ann leis-san a tha e.
5. Bha cat dubh aig Ealasaid an-dè ach 's ann leatsa a tha e.
6. Tha còta aige an-dràsta ach 's ann le Calum a tha e.
7. Bha cupa aice an t-seachdain seo chaidh ach 's ann le Seonaidh a tha e.
8. Bidh pàipear aig Iain a-màireach ach 's ann leathase a tha e.
9. Bha/Bidh iuchair aig Tormod sa mhadainn ach 's ann leinne a tha e.
10. Tha uaireadair agam an-diugh ach 's ann leibhse a tha i.

Expressing Possession and Ownership Answers
Exercise 7

1. Cò leis a tha an càr dubh faisg air an taigh?
    Tha mi a' smaoineachadh gur ann le Calum a tha e.

2. Cò leis a tha am peann gorm?
    Is dòcha gur ann leathase a tha e.

3. Cò leis a tha an cat beag sin?
    Chuala mi gur ann leothasan a tha e.

4. Cò leis a tha am fòn ùr air a' bhòrd?
    Thuirt Anna gur ann leatsa a tha e.

5. Cò leis a tha am baga donn fon uinneig?
    Tha Iain ag ràdh gur ann le Mairead a tha e.

6. Cò leis a tha am biadh seo?
    Tha mi a' smaoineachadh gur ann leinne a tha e.

7. Cò leis a tha an t-iasg ruadh?
    Chuala mi gur ann leibhse a tha e.

8. Cò leis a tha am pàipear-naidheachd anns a' chàr?
    Thuirt Raghnall gur ann leis-san a tha e.

9. Cò leis a tha an cupa leis a' chofaidh?
    Tha mi a' smaoineachadh gur ann leamsa a tha e.

10. Cò leis a tha an t-argead?
    Tha mi cinnteach gur ann le Donnchadh a tha e.

Expressing Possession and Ownership Answers
Exercise 8

1. Cò aige a tha an cù mòr?
    Tha e aice, ach 's ann leinne a tha e.

2. Cò aige a tha an lèine uaine?
    Tha i aig Marsaili ach 's ann le Ceit a tha i.

3. Cò aige a tha an càr ùr?
    Tha e againn, ach 's ann leothasan a tha e.

4. Cò aige a tha an leabhar mu na Ceiltich?
    Tha e aige, ach 's ann leamsa a tha e.

5. Cò aige a tha am baga beag?
    Tha e agam, ach 's ann leatsa a tha e.

6. Cò aige a tha am peansail seo?
   Tha e aig Sìne, ach 's ann leibhse a tha e.

7. Cò aige a tha an ticead?
   Tha e agad, ach 's ann leathase a tha e.

8. Cò aige a tha am bàta brèagha?
   Tha e aig Eàirdsidh, ach 's ann leis-san a tha e.

9. Cò aige a tha a' chèic sin?
   Tha i agam, ach 's ann le Cailean a tha i.

10. Cò aige a tha an t-aran?
    Tha e agaibh, ach 's ann le Anna a tha e.

Expressing Possession and Ownership Answers
Exercise 9

1. Tha fios agam/Tha fhios agam.
2. Cò leis thu
3. A bheil cuimhne agad?
4. Coma leat
5. Tha Gàidhlig agam.
6. Tha dùil againn.

Expressing Possession and Ownership Answers
Exercise 10

1. ag èisteachd rium
2. ag èisteachd riut
3. ag èisteachd ris
4. ag èisteachd rithe
5. ag èisteachd rinn
6. ag èisteachd ribh
7. ag èisteachd riutha

Using the Copula for Emphasis Answers

Exercise 1

1. 'S e mise a tha trang an-diugh. [also possible: is mise… /is mi; it would be unlikely to have *'s e mi*, though, because this structure is emphatic].
2. 'S e Màiri a tha ag obair san oifis bhig.
3. Tha mi a' smaoineachadh gur e an cat a tha toilichte.
4. An e thusa a tha sgìth a-rithist? [also possible: an tusa/an tu]
5. Chan e ise a tha a' cluich rugbaidh / Chan ise…
6. Thuirt Seonag gur e sinne a tha a' falbh.
7. Thuirt Dàibhidh nach e sibhse a tha ag òl uisge.
8. Chuala mi gur e Dòmhnall a tha math air ball-coise.
9. Tha mi a' smaoineachadh nach e iadsan a tha a' tighinn a-màireach. [also possible: nach iadsan/nach iad]
10. Tha dùil agam gur esan a tha a' dol dhachaigh. [because the pronoun used here is actually part of the copula phrase, we usually don't double up; rather, we make use of the *e* that is already there]

Using the Copula for Emphasis Answers
Exercise 2

1. 'S ann sgìth den obair a tha Donnchadh an-diugh.
2. 'S ann ag iarraidh pìos cèic a tha thu.
3. 'S ann an-dràsta nach eil sinn ag òl.
4. An ann ag ithe san taigh-bìdh a tha Cailean?
5. Tha mi a' smaoineachadh gur ann trang a tha Mairead an-dràsta.
6. Thuirt Dòmhnall gur ann ag obair san oifis a tha e.
7. Chuala mi nach ann gus a-màireach a bhios Anna an seo.
8. Tha mi an dùil gur ann an-ath-sheachdain a bhios mi sa cholaiste.
9. Tha mi an dùil gur ann sa cholaiste a bhios mi an-ath-seachdain.
10. Thuirt Mòrag gur ann aig an taigh a bha i.

Using the Copula for Emphasis Answers
Exercise 3

1. 'S e Tormod a tha a' dol don oifis an-diugh.
2. Chan ann ag ithe a tha Lachaidh an-dràsta.
3. An ann a' fosgladh uinneagan a tha Ùna?
4. Chan e Màrtainn a sgrìobh an leabhar seo.
5. 'S ann a-raoir a bha Gòrdan trang air an aiste aige.
6. 'S ann glè sgìth a tha mise a-nis.
7. 'S e Màiri a dhùin an doras sa mhadainn an-diugh.
8. An ann anns an sgoil a tha Raonaid?
9. 'S e Barabal a tha toilichte leis a' bhaga.
10. Chan ann ag ithe aran a tha i an-dràsta.

Using the Copula for Emphasis Answers
Exercise 4

1. Thuirt Gòrdan gur ann aig meadhan-latha a dh'èirich Niall an-dè.
2. Thuirt Marsaili gur e Eòghann a leugh an litir.
3. Thuirt Ruaraidh gur e an leabhar a sgrìobh e.
4. Chuala mi gur ann aig an taigh a bha an cat.
5. Tha mi a' smaoineachadh nach e Ealasaid a dh'òl an t-uisge-beatha.
6. Chuala mi gur e am balach a chunnaic an cù.
7. Tha mi a' smaoineachadh nach ann an-diugh a sgioblaich thu an rùm.
8. Chuala mi nach e Beathag a bhruidhinn ris an tidsear.
9. Tha mi a' smaoineachadh nach ann aig an tràigh a bha sinn.
10. Chuala mi nach ann a' snàmh a bha i.

Using the Copula for Emphasis Answers
Exercise 5

1. An e Eàirdsidh a sgrìobh an litir a leugh thu?
2. An e Mìchel an tidsear ùr anns an sgoil?
3. An ann air a' bhòrd a chunnaic thu am peann?
4. An ann a' dràibheadh air an rathad sin a bha Mairead?
5. An e Tòmas a dh'ith a' chèic a rinn iad?

6. An ann aig an taigh a tha na leabhraichean?
7. An e sinne a bhruidhinn air an rèidio an latha sin?
8. An e a' chaileag a choisich dhachaigh?
9. An ann trang a tha na boireannaich?
10. An e an cù a dh'òl an t-uisge?

Using the Copula for Emphasis Answers
Exercise 6

'S ann aig a' cholaiste a bhruidhinn mi ri Calum an-dè. Is esan a thuirt gun do sgrìobh e aiste airson Gearmailtis, ach 's ann nach robh e toilichte leatha. 'S ann a' smaoineachadh gun do rinn e mearachdan innte a bha e. Ach chuala mi nach e Anna a sgrìobh aiste idir: tha sin dona, nach eil! 'S ann aig a' cholaiste a dh'fhuirich mi airson biadh. 'S e taigh-bìdh math a tha ann. Dh'ith mi gu leòr, ach cha do dh'òl mi càil, oir chan eil deochannan math aca, agus cha toil leam uisge. 'S e na leabhraichean agam a thog mi, agus 's ann dhan bhùth-leabhraichean san t-Sràid Mhòir a dh'fhalbh mi. 'S e faclair ùr a cheannaich mi, ach cha do cheannaich mi pinn, oir tha gu leòr pinn agam. 'S ann air a' bhus a leugh mi an leabhar ùr, nuair a bha mi a' tighinn dhachaigh.

Using the Copula for Emphasis Answers
Exercise 7

Tha Eòghann à Glaschu, ach chan eil a' fuireach an sin an-dràsta: tha e a' fuireach ann an Dùn Èideann. Tha e na oileanach. Chan eil e a' fuireach aig an Oilthigh fhèin: tha e a' fuireach faisg air Sràid a' Phrionnsa. Chan eil an taigh anns a bheil e a' fuireach leis fhèin: tha an taigh le uncail, agus mar sin chan eil Eòghann a' pàigheadh mòran màl. Cha robh e a' dèanamh mòran obair nuair a bha e san sgoil, ach tha e ag obair gu cruaidh a-nis!

Using the Copula for Emphasis Answers
Exercise 8

1. a' faighneachd dhìom
2. a' faighneachd dhìot
3. a' faighneachd dheth
4. a' faighneachd dhith
5. a' faighneachd dhinn
6. a' faighneachd dhibh
7. a' faighneachd dhiubh

Expressing the Infinitive Answers

Exercise 1

1. a sheòladh
2. a shuidhe
3. a dh'innse
4. a chleachdadh
5. a ghlanadh
6. a dh'fhosgladh
7. a dhùnadh
8. a chumail
9. a bhriseadh
10. a dh'ionnsachadh
11. a choiseachd
12. a ruith
13. a dh'èirigh
14. a chur
15. a smèideadh
16. a ghabhail
17. a bhruidhinn
18. a cheannachd
19. a fhreagairt
20. a sheinn

Expressing the Infinitive Answers
Exercise 2

1. Tha mi a' dol a sheòladh dhan Fhraing.
2. Tha mi a' dol a fhreagairt ceistean.
3. Tha mi a' dol a ruith maraton.
4. Tha mi a' dol a cheannachd brògan.
5. Tha mi a' dol a dh'innse sgeulachd.
6. Tha mi a' dol a ghlanadh uinneagan.
7. Tha mi a' dol a chleachdadh peann.
8. Tha mi a' dol a dh'ionnsachadh na Gàidhlig.
9. Tha mi a' dol a bhriseadh uighean.
10. Tha mi a' dol a shuidhe an seo.

Expressing the Infinitive Answers
Exercise 3

1. a chluich(e)
2. a choimhead
3. a dhanns(a)
4. a dhràibheadh
5. a dh'èisteachd
6. a dh'fhalbh
7. a dh'fhuireach
8. a leughadh
9. a dh'obair
10. a dh'òl
11. a pheantadh
12. a reic
13. a sgioblachadh
14. a shiubhal
15. a smaoineachadh
16. a shnàmh
17. a thachairt
18. a thogail
19. a dhèanamh
20. a thighinn

Expressing the Infinitive Answers
Exercise 4

1. Tha e a' dol a thachairt sa phàirc.
2. Tha e a' dol a smaoineachadh fad an latha.
3. Tha e a' dol a dhèanamh cèic.
4. Tha e a' dol a reic leabhraichean.
5. Tha e a' dol a chluich ceòl.
6. Tha e a' dol a dh'fhuireach ann an Obar Dheathain.
7. Tha e a' dol a pheantadh dealbh.
8. Tha e a' dol a dh'èisteachd ris an rèidio.
9. Tha e a' dol a dh'òl cofaidh.
10. Tha e a' dol a sgioblachadh an taigh.

Expressing the Infinitive Answers
Exercise 5

1. Tha Sorcha a' tighinn a chluich sa phàirc.
2. Tha Sorcha a' tighinn a shnàmh san amar-snàimh.
3. Tha Sorcha a' tighinn a dh'ithe cèic.
4. Tha Sorcha a' tighinn a dh'òl cofaidh.
5. Tha Sorcha a' tighinn a choimhead air an telebhisean.
6. Tha Sorcha a' tighinn a dh'èisteachd ris a' cheòl.
7. Tha Sorcha a' tighinn a reic càr.
8. Tha Sorcha a' tighinn a dh'fuireach sa bhaile seo.
9. Tha Sorcha a' tighinn a dhannsa aig a' chèilidh.
10. Tha Sorcha a' tighinn a shuidhe air a' chathair.

Expressing the Infinitive Answers
Exercise 6

1. Tha Seòras a' sgur a sgrìobhadh litrichean do na pàipearan-naidheachd.
2. Tha Seòras a' sgur a dh'obair san oifis seo.
3. Tha Seòras a' sgur a dh'ithe cèicean aig deireadh na seachdain.
4. Tha Seòras a' sgur a choimhead air an telebhisean.
5. Tha Seòras a' sgur a dh'èisteachd ri ceòl fad an latha.
6. Tha Seòras a' sgur a thighinn do na cèilidhean.
7. Tha Seòras a' sgur a cheannachd irisean.
8. Tha Seòras a' sgur a shiubhal air itealain.
9. Tha Seòras a' sgur a dh'innse breugan.
10. Tha Seòras a' sgur a dh'fhuireach ann an Dùn Èideann.

Expressing the Infinitive Answers
Exercise 7

1. Tha i a' dol a sheinn aig a' chèilidh.

2. Tha sinn a' tighinn a cheannachd brògan.
3. Tha Iain a' sgur a dh'ithe cèicean.
4. A bheil thu a' dol a dhèanamh biadh?
5. A bheil i a' tighinn a shuidhe air a' chathair?
6. A bheil na balaich a' sgur a choimhead air an telebhisean?
7. Chan eil mi a' dol a sgioblachadh an taigh.
8. Chan eil iad a' tighinn a dh'fhosgladh uinneagan.
9. Chan eil e a' sgur a dh'ionnsachadh na Gàidhlig.
10. Tha mi a' dol a sheòladh dhan Fhraing.

Expressing the Infinitive Answers
Exercise 8

1. We are going to be very busy today.
2. Morag is stopping being in the office now.
3. Are you going to be there tomorrow?
4. I think we are going to be late!
5. They aren't going to be careful.
6. It's going to be cold tomorrow.
7. Are they stopping being so slow?
8. When is that going to be ready?
9. It's not going to be heavy, is it?
10. She is stopping being busy.

Expressing the Infinitive Answers
Exercise 9

1. chuir mi romham
2. chuir thu romhad
3. chuir e roimhe
4. chuir i roimhpe
5. chuir sinn romhainn
6. chuir sibh romhaibh
7. chuir iad romhpa

Irregular Verbs and Possessive Pronouns Answers

Exercise 1

1. Chaidh
2. Chuala
3. Thuirt
4. Chunnaic
5. Rinn
6. Chaidh
7. Chuala
8. Rinn
9. Chunnaic
10. Thuirt

Irregular Verbs and Possessive Pronouns Answers
Exercise 2

1. Cha d' rinn
2. Cha chuala
3. Cha deach
4. Cha tuirt
5. Cha chuala
6. Cha d' rinn
7. Cha deach
8. Cha tuirt
9. Chan fhaca
10. Chan fhaca

Irregular Verbs and Possessive Pronouns Answers
Exercise 3

1. An deach Mairead don taigh-seinnse Dihaoine?
2. An cuala tu na faclan a thuirt Seonaidh?
3. Am faca Seonag am prògram math air an telebhisean a-raoir?

4. An tuirt Calum gu bheil e gu math?
5. An d' rinn i an aiste?
6. An cuala sinn an còmhlan ud a' cluich?
7. An deach e don sgoil ged a bha e fadalach?
8. An d' rinn thu am biadh a bha thu ag iarraidh?
9. An tuirt iad na faclan?
10. Am faca Gòrdan an trèan a' falbh?

Irregular Verbs and Possessive Pronouns Answers
Exercise 4

1. Chuala mi gun deach thu don sgoil sa chàr.
2. Thuirt Tormod gun cuala e an naidheachd bho Mharsaili.
3. Tha mi a' smaoineachadh gum faca mi am film an-uiridh.
4. Thuirt Iain gun d' rinn e aran dhut.
5. Chuala mi nach fhaca Niall am prògram fhathast.
6. Tha mi a' smaoineachadh nach cuala tusa an sgeulachd.
7. Tha Teàrlag ag ràdh nach deach i dhachaigh.
8. Chuala mi nach d' rinn thu glè mhath san deuchainn.
9. Smaoinich mi gun tuirt thu gun robh thu trang.
10. Thuirt Iagan nach tuirt thu sin idir.

Irregular Verbs and Possessive Pronouns Answers
Exercise 5

1. Cò chaidh dhan bhùth Dimàirt?
2. Cuin a rinn Magaidh an t-aran?
3. Ciamar a chaidh thu dhan cholaiste?
4. Càit an cuala i sin?
5. Cò rinn e?
6. Càit an tuirt e na faclan?
7. Cò chunnaic am film feasgar Disathairne?
8. Cuin a chuala sinn an ceòl?

9. Dè rinn iad sa mhadainn?
10. Dè thuirt Màiri ri Peadar?

Irregular Verbs and Possessive Pronouns Answers
Exercise 6

1. mo phiuthar
2. do phiuthar
3. a bhràthair
4. a piuthar
5. ar piuthar
6. ur bràthair
7. am piuthar
8. m' athair
9. d' athair
10. athair
11. a h-athair
12. ar màthair
13. ur n-athair
14. am màthair
15. mo mhàthair
16. do mhàthair
17. a mhàthair
18. a màthair
19. ar n-athair
20. ur màthair
21. an athair
22. mo nighean
23. do nighean
24. a nighean
25. a nighean
26. ar nighean
27. ur nighean
28. an nighean

Irregular Verbs and Possessive Pronouns Answers
Exercise 7

1. A ceann
2. Do bhean
3. An càr
4. Ar n-athair
5. A leabhar
6. Ur taigh

Irregular Verbs and Possessive Pronouns Answers
Exercise 8

1. I saw your friend in the college yesterday morning and she was busy.
2. Donald didn't make a cake although he said that he was going to make a cake.
3. Did the boys go to the shop at the weekend?
4. What did Maggie say when she went away?
5. Who heard the programme when the radio was on?
6. Where did you see your brother last night?
7. Ruaraidh [Derek/Roddy] said that he didn't make the bread but he was wanting bread.
8. Didn't you see her mother when you went to the church?
9. How did my sister go to the office although her car was still here?
10. Was it our father who saw the film on Saturday evening?

Pronouns as Direct Objects and Past Participles Answers

Exercise 1

1. Tha Mìchel ga thogail.
2. Bha Mòrag ga chosg.
3. An robh thu ga sgioblachadh?
4. Bidh Tormod ga sheinn.
5. Am bi Raonaid ga chluich?
6. Thuirt Ealasaid gun robh i ga freagairt.
7. Bha thu ga cuideachadh.
8. Am bi na caileagan ga h-ionnsachadh?
9. A bheil thu ga chreidsinn?
10. Tha mi a' smaoineachadh nach bi sinn ga ithe.

Pronouns as Direct Objects and Past Participles Answers

Exercise 2

1. Tha mi gan iarraidh a-nis.
2. Bha Màrtainn ga leughadh sa mhadainn.
3. An robh thu gar cuideachadh leis an obair?
4. Cha robh e gur togail sa chàr.
5. Bidh Calum ga dèanamh.
6. Am bi sibh gan cleachdadh?
7. Bidh mi gad fhaicinn.
8. Tha iad ga ionnsachadh.
9. A bheil sibh ga bruidhinn?
10. Cò bhios gam peantadh?

Pronouns as Direct Objects and Past Participles Answers

Exercise 3

1. ga thòiseachadh
2. gam fosgladh
3. gur call

4. ga phàigheadh
5. gan cumail
6. gam dhùsgadh
7. gur faicinn
8. ga cluich
9. gan ceannachd
10. gar creidsinn
11. ga bhriseadh
12. gam thogail
13. ga dhùnadh
14. gam fhreagairt
15. gan leughadh

Pronouns as Direct Objects and Past Participles Answers
Exercise 4

1. Tha an litir sgrìobhte
2. Tha an taigh togte
3. Tha an t-uisge-beatha òlte
4. Tha an càr reicte
5. Tha an uinneag fosgailte
6. Tha an t-aran dèante/dèanta
7. Tha Màiri agus a leannan pòsta
8. Tha an cunntas mòr pàighte

Pronouns as Direct Objects and Past Participles Answers
Exercise 5

1. Tha e còig uairean sa mhadainn.
2. Tha e naoi uairean feasgar.
3. Tha e seachd uairean feasgar.
4. Tha e deich uairean sa mhadainn.
5. Tha e ceithir uairean feasgar.
6. Tha e ochd uairean sa mhadainn.
7. Tha e sia uairean sa mhadainn.
8. Tha e còig uairean feasgar.
9. Tha e naoi uairean sa mhadainn.
10. Tha e ceithir uairean sa mhadainn.

Pronouns as Direct Objects and Past Participles Answers
Exercise 6

1. An do sgrìobh thu cairt airson co-là breith Eàirdsidh?
   Sgrìobh. Bha mi ga sgrìobhadh nuair a bha thu ag obair.
   Mar sin, tha i sgrìobhte.

2. A bheil thu a' smaoineachadh gun ith a' chlann an càl?
   Tha. Bha iad ga ithe an-dràsta.
   Seadh, agus tha e ithte!

3. Cò tha a' dèanamh aran san taigh seo?
   'S e Aonghas a bhios ga dhèanamh.
   A bheil aran sam bith dèanta/dèante?

4. Cuin a bhios iad a' dùnadh dorsan aig an taigh-bìdh?
   Bidh iad gan dùnadh mu naoi uairean feasgar. Dè an uair a tha e an-dràsta?
   Tha e deich uairean.
   Mar sin, bidh na dorsan dùinte.

Pronouns as Direct Objects and Past Participles Answers
Exercise 7

1. Bha mi ga fhosgladh sa mhadainn.
2. Bidh i gan togail feasgar a-màireach.
3. Bha sinn gad chreidsinn gus an tuirt thu sin!
4. Bha iad ga h-ionnsachadh san sgoil.
5. Bidh i gam chuideachadh Dimàirt.
6. Am bi iad gur cur?
7. Bidh Màiri gar pàigheadh.
8. Bidh mi ga dhèanamh a h-uile latha.

GLOSSARY

Gaelic-English

a which, that
a dh'aona-ghnothaich on purpose
a' bhòn-dè the day before yesterday
a' coiseachd walking
a' cur sending, putting
a' dol going
a' fàgail leaving
a' faighneachd asking
a' falbh going (away)
a' fosgladh opening
a' freagairt answering
a' fuireach staying
a' mhìos seo tighinn next month
a' mothachadh noticing
a' smèideadh (air) waving to/at
a' tighinn coming
a' togail lifting, raising
a' tòiseachadh starting
a' tomhadh pointing
a' tuiteam falling
abhainn (f) river
ach but
ag itealaich flying
ag ithe□ eating
ag obair□ working

ag òl□ drinking
agus□ and
aig an taigh□ at home
aimsir (f)□ weather
air□ on
air ais back(wards)
air fad□ all
airgead (m) money
aiste (f) essay
àlainn lovely
amar-snàimh (m) swimming pool
am faca?□ did ... see?
am-bliadhna this year
an-ath-bhliadhna next year
an cuala?□ did ... hear?
an tuirt ... ?□ did ... say ... ?
an-còmhnaidh□ always
an-dè□ yesterday
an-diugh□ today
an-earar the day after tomorrow
ann an□ in
an t-seachdain seo chaidh last week
an-uiridh last year
a-rithist again
aon□ one

aran (m)□ bread
baga (m)□ bag
baile (m) town
balach (m)□ boy
balla (m) wall
bàn white, blank, blond
beachd (m) idea, opinion
beag□ small
bean (f) wife
Beurla (f)□ English
bho□ from
biadh (m)□ food
blasta tasty
blàth□ warm
bocsa (m) box
bòidheach beautiful
boireannach (m)□ woman
bòrd (m)□ table / a table
bràthair (m)□ brother
brèagha□ beautiful
breug (f) lie
bròg (f) shoe
cabhag (f) hurry
caileag (f)□ girl
càl (m) cabbage
cànan (m)□ language
càr (m)□ car / a car
cas (f) foot
cat (m) cat
cathair (f)□ chair / a chair
ceann (m) head
ceart right, correct
ceart gu leòr ok
cèilidh (f) ceilidh, visit
ceist (f) question
ceithir□ four
ceum (m) degree
cha chuala□ didn't hear
cha tuirt ... □ ... did not say ...
chan eil dona□ not bad
chan fhaca□ did not see
chuala□ heard

chunnaic□ saw
ciamar a tha thu?□ How are you?
ciamar?□ how?
ciallach sensible, making sense
cidsin (m) kitchen
cluas (f) ear
cò às a tha thu / sibh?□ where are you from?
cò?□ who? which?
cofaidh (m) coffee
cofhurtail comfortable
còig□ five
coineanach (m) rabbit
coire (m) kettle
co-là breith (m) birthday
colaiste (f) college
comhairle (f) council
còmhdach (m) cover
cor math□ I'm well
corrag (f) finger
cothrom (m) opportunity, chance
cruaidh hard [tactile]
cù (m)□ dog
cuin (a/nach) when?
cuir teine light a fire
cunntas (m) bill, account
cupa (m) cup
cuspair (m)□ subject
de□ of, off
dè an t-ainm a th' ort?□ What's your name?
dè do chor?□ How are you?
dè?□ what?
deagh chor□ I'm well
dealbh (m) picture
deich□ ten
deireadh na seachdain weekend
deoch (f) drink
deòir tears
dhà / dà□ two
dhachaigh□ home(wards)
dìcheall (m) best, utmost
do□ to
dona□ bad

205

donn brown

doras (m) door

dorcha dark

dreasa (f) dress

droch chor I'm in bad form

duais (f) prize

duilleag (f) page

dùinte closed, shut

Dùn Dèagh/Dè Dundee

e he, him, it

eadar-lìon (m) internet

eaglais (f) church

fad an latha all day

fada long

falamh empty

farsaing wide, broad

feadag (f) tin whistle

fear (m) man

feasgar (m) afternoon, evening

feasgar math good afternoon/evening

feòil (f) meat

fhathast yet

fileanta fluent

fo under

fosgailte open

fòn (m) phone

freagairt (f) answer

fuaim (f) sound

fuar cold

Gàidhlig (f) Gaelic

gainmheach (f) sand

gàirdean (m) arm

gàrradh (m) garden

gasta decent

ged although

gille (m) boy

grannda ugly

greim bìdh bite, snack

grianach sunny

grod rotten

guirean (m) spot, pimple

gus until

i she, her, it

iad they, them

Ìle Islay

ìm (m) butter

inntinneach interesting

iris (f) magazine

is am, is, are

is esan... he is...

is ise... she is...

is mise... I am...

itealan (m) aeroplane

iuchair (f) key

lagh (m, f) law

làn full

latha (m) day

latha math good day

le with

leabaidh (f) bed

leabhar (m) book / a book

leann (m) beer

leannan (m) sweetheart, girlfriend, boyfriend

lèine (f) shirt

lethbhreac (m) copy

litir (f) letter

luath fast

madainn (f) morning

madainn mhath good morning

maraton (m) marathon

mar-thà already

math good

mi I, me

mì-sgiobalta untidy

mòinteach (f) moor

mòr big

mu about

muir (m/f) sea

naoi nine

neoni zero

no or

nuair (a/nach) when (rel.)

obair (f) work, job

obair-dhachaigh (f) homework

ochd☐ eight
oidhche (f) night
oidhche mhath☐ goodnight
oifis (f)☐ office
oileanach (m) student
oilthigh (m) university
òraid (f) lecture, speech
pàipear (m) paper
pàirc (f) park
pathadh (m) thirst
peann (m)☐ pen / a pen
pìob (f) pipe
piuthar (f) sister
poileas (m) police
preas (m) cupboard
prògram (m) programme
rathad (m)☐ road
ro☐ before
rudeigin something
rugbaidh (m) rugby
rùm (m) room
seachd☐ seven
seachdain (f) week
Sealainn Nuadh New Zealand
seinneadair (m) singer
seo☐ this/here
seòmar-suidhe (m) living room
sgeulachd (f)☐ story
sgìth☐ tired
sgoil (f)☐ school
sgot (m) a clue
sia☐ six
sibh☐ you
sin☐ that/there
sinn☐ we, us
siud☐ that/there
sgòthach cloudy
silidh (m) jam
slaodach☐ slow
slighe (f) path, way
sràid (f)☐ street

sròn (f) nose
Sruighlea Stirling
taigeis (f) haggis
taigh (m)☐ house / a house
tapadh leat☐ thank you
teòclaid (f) chocolate
tha ... ann☐ ... is there /... exists /there is a...
tha gu math☐ I'm well
tha mi à ... ☐ I'm from ...
thu☐ you
thuirt☐ said
ticead (m) ticket
tioraidh☐ bye / cheerio
tioraidh an-dràsta☐ bye for now
toilichte☐ happy
trang☐ busy
trèan (f) train
trì☐ three
tric☐ often
tro☐ through
uinneag (f)☐ window
uisge (m)☐ water
tha gu math☐ I'm well
tha mi à ... ☐ I'm from ...
thu☐ you
thuirt☐ said
tioraidh☐ bye / cheerio
tioraidh an-dràsta☐ bye for now
toilichte☐ happy
trang☐ busy
trì☐ three
tric☐ often
tro☐ through
truinnsear (m) plate
tuilleadh more, anymore
uairean o'clock
ugh (m) egg
uinneag (f)☐ window
uisge (m)☐ water
ùpraid (f) commotion, fuss, uproar

English-Gaelic

account cunntas
aeroplane itealan
again a-rithist
all☐ air fad
all day☐ fad an latha
already mar-thà
although ged (a/nach)
always☐ an-còmhnaidh
am, is, are☐ is
and☐ agus
answer freagairt
anymore tuilleadh
arm gàirdean
asking a' faighneachd
at home☐ aig an taigh
backwards air ais
bad☐ dona
bag☐ baga
beautiful☐ brèagha, bòidheach
bed☐ leabaidh
beer leann
before☐ ro
big☐ mòr
bill cunntas
birthday co-là breith
bite (some food) greim bìdh

blank bàn
book / a book☐ leabhar
box bocsa
boy☐ balach,
☐ gille
bread☐ aran
broad farsaing
brother☐ bràthair
brown donn
busy☐ trang
but☐ ach
butter ìm
bye☐ tioraidh
bye for now☐ tioraidh an-dràsta
cabbage càl
car☐ càr
cat cat
ceilidh cèilidh
chair☐ cathair
chocolate teòclaid
church☐ eaglais
closed☐ dùinte
cloudy sgòthach
clue sgot
coffee cofaidh
cold☐ fuar

208

college colaiste
coming□ a' tighinn
comfortable cofhurtail
commotion ùpraid
copy lethbhreac
correct ceart
council comhairle
cover còmhdach
cup cupa
cupboard preas
dark dorcha
day latha
day after tomorrow an-earar
day before yesterday a' bhòn-dè
decent gasta
degree ceum [all senses]
... did not say ...□ cha tuirt ...
did ... hear?□ an cuala?
did ... say ... ?□ an tuirt ... ?
did ... see?□ am faca?
did not see□ chan fhaca
didn't hear□ cha chuala
dog□ cù
door□ doras
dress dreasa
drink deoch
drinking□ ag òl
Dundee Dùn Dèagh/Dè
eating□ ag ithe
egg ugh
eight□ ochd
empty□ falamh
English□ Beurla
essay aiste
falling a' tuiteam
fast□ luath
finger corrag
five□ còig
fluent fileanta
flying ag itealaich
food□ biadh
foot cas
four□ ceithir
from□ bho

full□ làn
Gaelic□ Gàidhlig
garden□ gàrradh
girl□ caileag
going□ a' dol
going (away)□ a' falbh
good□ math
good afternoon/evening□ feasgar math
good day□ latha math
good morning□ madainn mhath
goodnight□ oidhche mhath
haggis taigeis
happy□ toilichte
hard cruaidh
he is...□ is esan...
he□ e
head ceann
heard□ chuala
her i
here an seo
him e
home□ dhachaigh
homework obair-dhachaigh
house□ taigh
how are you?□ ciamar a tha thu? dè do chor?□
how?□ ciamar?
hurry cabhag
I am...□ is mise...
I□ mi
idea beachd
I'm from ...□ tha mi à ...
I'm in bad form□ droch chor
I'm well□ cor math, deagh chor, tha gu math
in□ ann an
interesting inntinneach
internet eadar-lìon
Islay Ìle
it e, i
jam silidh
kettle coire
key iuchair
kitchen cidsin
language□ cànan
last week an t-seachdain seo chaidh

last year an-uiridh

law□ lagh

leaving a' fàgail

lecture òraid

letter□ litir

lie breug

light a fire cuir teine

living room seòmar-suidhe

long□ fada

lovely àlainn

magazine□ iris

man□ fear

marathon maraton

me mi

meat□ feòil

money airgead

morning madainn

moor mòinteach

more tuilleadh

next month a' mhìos seo tighinn

next year an-ath-bhliadhna

New Zealand Sealainn Nuadh

night oidhche

nine□ naoi

nose (f) sròn

not bad□ chan eil dona

noticing a' mothachadh

o'clock uairean

of□ de

off de

office□ oifis

often□ tric

ok ceart gu leòr

on□ air

one□ aon

open□ fosgailte

opening a' fosgladh

opinion beachd

opportunity cothrom

or□ no

page duilleag

paper pàipear

park pàirc

path slighe

pen / a pen□ peann

phone fòn

picture dealbh

pipe pìob

plate truinnsear

pointing a' tomhadh

police poileas

prize duais

programme prògram

purpose (on) a dh'aona-ghnothaich

question ceist

rabbit coineanach

river abhainn

road□ rathad

room rùm

rotten grod

rugby rugbaidh

said□ thuirt

sand gainmheach

saw□ chunnaic

school□ sgoil

sea muir

sensible ciallach

seven□ seachd

she i

she is...□ is ise...

she□ i

shirt lèine

shoe bròg

singer seinneadair

sister piuthar

six□ sia

slow□ slaodach

small□ beag

something rudeigin

sound fuaim

spot guirean

starting a' tòiseachadh

staying□ a' fuireach

Stirling Sruighlea

story□ sgeulachd

street□ sràid

student oileanach

subject□ cuspair

sunny grianach
swimming pool amar-snàimh
table / a table☐ bòrd
tasty blasta
tears deòir
ten☐ deich
thank you☐ tapadh leat
that☐ sin, siud, ud
them   iad
there   an sin, an siud
they☐ iad
this☐ seo
this year am-bliadhna
three☐ trì
through☐ tro
tired☐ sgìth
thirst pathadh
ticket ticead
tin whistle feadag
to☐ do
today☐ an-diugh
town baile
train trèan
two☐ dhà / dà
until gus
untidy mì-sgiobalta
ugly☐ grannda
under☐ fo
university oilthigh
us   sinn

utmost, best dìcheall
walking a' coiseachd
wall balla
warm☐ blàth
water☐ uisge
waving to/at☐ a' smèideadh (air)
we☐ sinn
weather☐ aimsir
weekend deireadh na seachdain
what?☐ dè?
what's your name?☐ Dè an t-ainm a th' ort?
when (rel.) nuair
when (int.) cuin?
where are you from?☐ Cò às a tha thu / sibh?
which (rel.) a
who? which?☐ cò?
wide farsaing
wife bean
window☐ uinneag
with☐ le
woman☐ boireannach
work☐ obair
working☐ ag obair
yesterday☐ an-dè
yet☐ fhathast
you☐ sibh (plural/polite)
you☐ thu
zero☐ neoni

ABOUT THE AUTHOR

Moray Watson is Professor of Gaelic and Translation and the director of Ionad Eòghainn MhicLachlainn, the National Centre for Gaelic Translation, based at the University of Aberdeen. He has taught Gaelic at the University of Aberdeen for seventeen years, having previously been a university teacher at the Northern College, Aberdeen, the National University of Ireland, Galway, and the University of the Highlands and Islands. His publications include *An Introduction to Gaelic Fiction* (2011) and *The Edinburgh Companion to the Gaelic Language* (2010). He translated *Alice's Adventures in Wonderland* to Gaelic, published by Evertype as *Eachdraidh Ealasaid ann an Tìr nan Iongantas* in 2012. His Gaelic translation of the Glossika language teaching system (2017) is a powerful, free resource for Gaelic learners. He is currently preparing his translation of *The Hobbit* to Gaelic for publication. This *Gaelic Workbook 1* is the first volume in a series of workbooks designed to support the *Progressive Gaelic* course.

By the same author

Progressive Gaelic 1 ISBN: 978-1478233251

Progressive Gaelic 2 ISBN: 978-1478291459

Progressive Gaelic 3 ISBN: 978-1542787208

Progressive Gaelic 4 ISBN: 978-1986999069

Join the Progressive Gaelic community at www.progressivegaelic.com

Milton Keynes UK
Ingram Content Group UK Ltd.
UKHW011317190824
1312UKWH00022B/138